KB081878

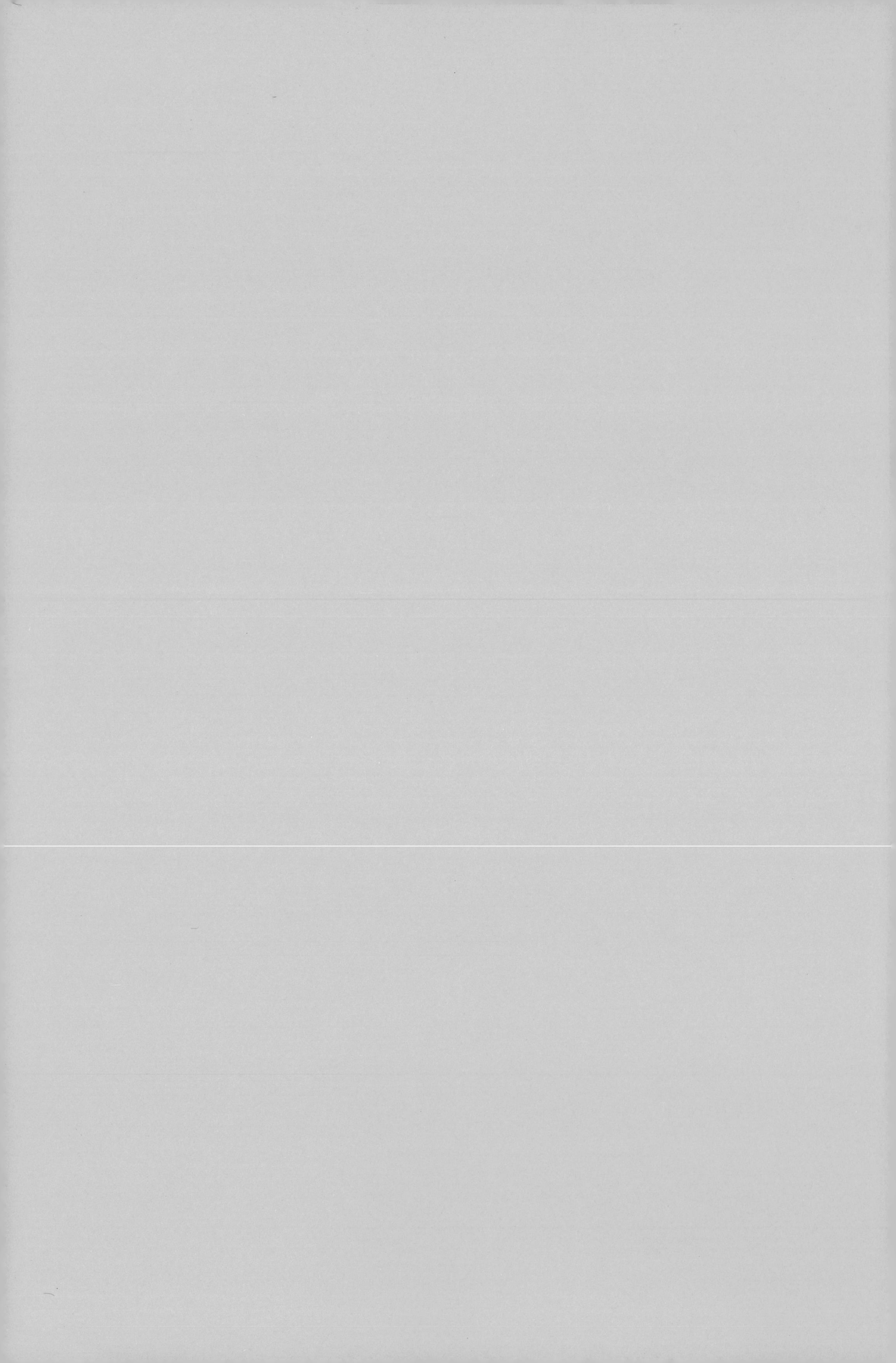

노래로 배우는
한국어 1

中国语(중국어)
翻译版(번역판)

- 노래 (名词) : 歌，歌曲，唱歌
  给具有韵律的歌词添加曲子的音乐；或放声唱出那样的音乐。

- 로(助词) : 无对应词汇
  表示某事的方法或方式。

- 배우다 (动词) : 学，学习
  获得新知识。

- -는(语尾) : 无对应词汇
  使前面的词具有定语功能，表示事件或动作现在正在发生。

- 한국어 (名词) : 韩国语，韩语
  韩国使用的语言。

※ 이 책의 폰트는 '한초롬 바탕체'를 사용하였습니다.

< 저자(著者) >

㈜한글2119연구소

• 연구개발전담부서

• ISO 9001 : 품질경영시스템 인증

• ISO 14001 : 환경경영시스템 인증

• 이메일(电邮) : gjh0675@naver.com

< 동영상(视频) 자료(资料) >

HANPUK_中国语(翻译)
https://www.youtube.com/@HANPUK_Chinese

HANPUK

제 2024153361 호

연구개발전담부서 인정서

1. 전담부서명: 연구개발전담부서

   [소속기업명: (주)한글2119연구소]

2. 소 재 지: 인천광역시 부평구 마장로264번길 33
   상가동 제지하층 제2호 (산곡동, 뉴서울아파트)

3. 신고 연월일: 2024년 05월 02일

과학기술정보통신부

「기초연구진흥 및 기술개발지원에 관한 법률」 제14조의 2제1항 및 같은 법 시행령 제27조제1항에 따라 위와 같이 기업의 연구개발전담부서로 인정합니다.

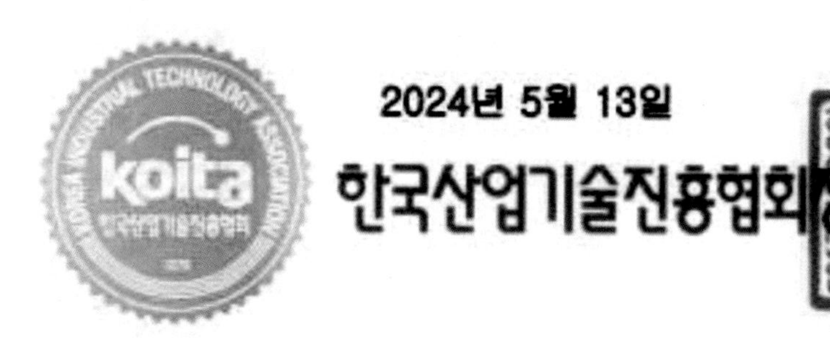

2024년 5월 13일

한국산업기술진흥협회장

G-CERTI *certificate*

hereby certifies that

Hangul 2119 Research Institute Co., Ltd.

Rm. 2, Lower level, Sangga-dong, 33, Majang-ro 264beon-gil, Bupyeong-gu, Incheon, Korea

meets the Standard Requirements & Scope as following

ISO 9001:2015
Quality Management Systems

Creation of Media Content, Publication of Korean Paper and Electronic Textbooks, Production and Release of Albums for Korean Language Education

Certificate No: GIS-6934-QC
Initial Date : 2024-05-21
Expiry Date : 2027-05-20

Code : 08, 39
Issue Date : 2024-05-21
Valid Period : 2024-05-21 ~ 2027-05-20

Signed for and on behalf of GCERTI
President I.K Cho

G-CERTI *Certificate*

hereby certifies that

Hangul 2119 Research Institute Co., Ltd.

Rm. 2, Lower level, Sangga-dong, 33, Majang-ro 264beon-gil,
Bupyeong-gu, Incheon, Korea

meets the Standard Requirements & Scope as following

ISO 14001:2015
Environmental Management Systems

Creation of Media Content, Publication
of Korean Paper and Electronic Textbooks, Production and
Release of Albums for Korean Language Education

Certificate No:	**GIS-6934-EC**	**Code**	**: 08, 39**
Initial Date	**: 2024-05-21**	**Issue Date**	**: 2024-05-21**
Expiry Date	**: 2027-05-20**	**Valid Period**	**: 2024-05-21 ~ 2027-05-20**

Signed for and on behalf of GCERTI
President I.K.Cho

< 목차(目录) >

< 1 >

한글송

한글(韓文) 송(歌)

[발음(发音)]

< 전주(前奏) >

바 빠 파 다 따 타 가 까 카 자 짜 차 사 싸 하 마 나 아 라
바 빠 파 다 따 타 가 까 카 자 짜 차 사 싸 하 마 나 아 라
ba ppa pa da tta ta ga kka ka ja jja cha sa ssa ha ma na a ra

자음 열아홉 개 소리
자음 여라홉 개 소리
jaeum yeorahop gae sori

아 어 오 우 으 이 애 에 외 위 야 여 요 유 얘 예 와 워 왜 웨 의
아 어 오 우 으 이 애 에 외 위 야 여 요 유 얘 예 와 워 왜 웨 의
a eo o u eu i ae e oe wi ya yeo yo yu yae ye wa wo wae we ui

모음 스물한 개 소리
모음 스물한 개 소리
moeum seumulhan gae sori

< 1 절(节) >

다 같이 말해 봐
다 가치 말해 봐
da gachi malhae bwa

아설순치후
아설순치후
aseolsunchihu

다 함께 불러 봐
다 함께 불러 봐
da hamkke bulleo bwa

아설순치후
아설순치후
aseolsunchihu

우리 모두 느껴 봐
우리 모두 느껴 봐
uri modu neukkyeo bwa

발음 기관을 본뜬
바름 기과늘 본뜬
bareum gigwaneul bontteun

기역, 니은, 미음, 시옷, 이응
기역, 니은, 미음, 시옫, 이응
giyeok, nieun, mieum, siot, ieung

다섯 글자
다섣 글짜
daseot geulja

세상의 모든 소리를 들어 봐
세상에 모든 소리를 드러 봐
sesange modeun sorireul deureo bwa

또 하고 싶은 말을 다 외쳐 봐
또 하고 시픈 마를 다 외처 봐
tto hago sipeun mareul da oecheo bwa

신비로운 사연
신비로운 사연
sinbiroun sayeon

감추었던 비밀
감추얻떤 비밀
gamchueotdeon bimil

진실을 전해 줘
진시를 전해 줘
jinsireul jeonhae jwo

< 후렴(副歌) >

아 야 어 여 오 요 우 유 으 이
아 야 어 여 오 요 우 유 으 이
a ya eo yeo o yo u yu eu i

가 나 다 라 마 바 사 아 자 차 카 타 파 하
가 나 다 라 마 바 사 아 자 차 카 타 파 하
ga na da ra ma ba sa a ja cha ka ta pa ha

이제부터 들려 줘 너의 마음을
이제부터 들려 줘 너에 마으믈
ijebuteo deullyeo jwo neoe maeumeul

지금부터 전해 줘 너의 사랑을
지금부터 전해 줘 너에 사랑을
jigeumbuteo jeonhae jwo neoe sarangeul

아 야 어 여 오 요 우 유 으 이
아 야 어 여 오 요 우 유 으 이
a ya eo yeo o yo u yu eu i

가 나 다 라 마 바 사 아 자 차 카 타 파 하
가 나 다 라 마 바 사 아 자 차 카 타 파 하
ga na da ra ma ba sa a ja cha ka ta pa ha

모음 스물하나에 자음 열아홉을 더해
모음 스물하나에 자음 여라호블 더해
moeum seumulhanae jaeum yeorahobeul deohae

마흔 가지 소리로 세상을 느껴 봐
마흔 가지 소리로 세상을 느껴 봐
maheun gaji soriro sesangeul neukkyeo bwa

< 2 절(节) >

하늘과 땅이 만나 ㅗ, ㅜ
하늘과 땅이 만나 ㅗ, ㅜ
haneulgwa ttangi manna o, u

사람과 만난다면 ㅏ, ㅓ
사람과 만난다면 ㅏ, ㅓ
saramgwa mannandamyeon a, eo

하루면은 충분해
하루며는 충분해
harumyeoneun chungbunhae

하늘, 땅, 사람을 본뜬
하늘, 땅, 사라믈 본뜬
haneul, ttang, sarameul bontteun

아 어 오 우 야 여 요 유 으 이
아 어 오 우 야 여 요 유 으 이
a eo o u ya yeo yo yu eu i

열 글자
열 글짜
yeol geulja

세상의 모든 소리를 들어 봐
세상에 모든 소리를 드러 봐
sesange modeun sorireul deureo bwa

또 하고 싶은 말을 다 외쳐 봐
또 하고 시픈 마를 다 외처 봐
tto hago sipeun mareul da oecheo bwa

신비로운 사연
신비로운 사연
sinbiroun sayeon

감추었던 비밀
감추얻떤 비밀
gamchueotdeon bimil

진실을 전해 줘
진시를 전해 줘
jinsireul jeonhae jwo

< 후렴(副歌) >

아 어 오 우 야 여 요 유 으 이
아 어 오 우 야 여 요 유 으 이
a eo o u ya yeo yo yu eu i

가 나 다 라 마 바 사 아 자 차 카 타 파 하
가 나 다 라 마 바 사 아 자 차 카 타 파 하
ga na da ra ma ba sa a ja cha ka ta pa ha

이제부터 들려 줘 너의 마음을
이제부터 들려 줘 너에 마으믈
ijebuteo deullyeo jwo neoe maeumeul

지금부터 전해 줘 너의 사랑을
지금부터 전해 줘 너에 사랑을
jigeumbuteo jeonhae jwo neoe sarangeul

아 어 오 우 야 여 요 유 으 이
아 어 오 우 야 여 요 유 으 이
a eo o u ya yeo yo yu eu i

가 나 다 라 마 바 사 아 자 차 카 타 파 하
가 나 다 라 마 바 사 아 자 차 카 타 파 하
ga na da ra ma ba sa a ja cha ka ta pa ha

모음 스물하나에 자음 열아홉을 더해
모음 스물하나에 자음 여라호블 더해
moeum seumulhanae jaeum yeorahobeul deohae

마흔 가지 소리로 세상을 느껴 봐
마흔 가지 소리로 세상을 느껴 봐
maheun gaji soriro sesangeul neukkyeo bwa

들려 줘요
들려 줘요
deullyeo jwoyo

이 소리 들리나요.
이 소리 들리나요.
i sori deullinayo.

달콤하게, 부드럽게 우리 모두 말해 봐요.
달콤하게, 부드럽께 우리 모두 말해 봐요.
dalkomhage, budeureopge uri modu malhae bwayo.

< 전주(前奏) >

바 빠 파 다 따 타 가 까 카 자 짜 차 사 싸 하 마 나 아 라

ㅂ : 한글 자모의 여섯째 글자. 이름은 '비읍'으로, 소리를 낼 때의 입술 모양은 'ㅁ'과 같지만 더 세게 발음되므로 'ㅁ'에 획을 더해서 만든 글자이다.

无对应词汇

韩文的第六个字母，名为"비읍"，发音时嘴唇的形状和"ㅁ"相同，但更加用力，所以是在"ㅁ"的基础上增加了一划而创制的文字。

ㅃ : 한글 자모 'ㅂ'을 겹쳐 쓴 글자. 이름은 쌍비읍으로, 'ㅂ'의 된소리이다.

无对应词汇

将韩文字母"ㅂ"叠写而成的字，名为"双비읍"，是"ㅂ"的挤喉音。

ㅍ : 한글 자모의 열셋째 글자. 이름은 '피읖'으로, 'ㅁ, ㅂ'보다 소리가 거세게 나므로 'ㅁ'에 획을 더하여 만든 글자이다.

无对应词汇

韩文的第十三个字母，名为"피읖"，因其发音比"ㅁ,ㅂ"更强烈，所以是在"ㅁ"的基础上增加了笔画而创制的文字。

ㄷ : 한글 자모의 셋째 글자. 이름은 '디귿'으로, 소리를 낼 때 혀의 모습은 'ㄴ'과 같지만 더 세게 발음되므로 한 획을 더해 만든 글자이다.

无对应词汇

韩文的第三个字母，名为"디귿"，发音时舌头的形状和"ㄴ"相同，但更加用力，所以是在"ㄴ"的基础上增加了一划而创制的文字。

ㄸ : 한글 자모 'ㄷ'을 겹쳐 쓴 글자. 이름은 쌍디귿으로, 'ㄷ'의 된소리이다.

无对应词汇

将韩文字母"ㄷ"叠写而成的字，名为"双디귿"，是"ㄷ"的挤喉音。

ㅌ : 한글 자모의 열두째 글자. 이름은 '티읕'으로, 'ㄷ'보다 소리가 거세게 나므로 'ㄷ'에 한 획을 더하여 만든 글자이다.

无对应词汇

韩文的第十二个字母，名为"티읕"，因其发音比"ㄷ"更强烈，所以是在"ㄷ"的基础上增加了一划而创制的文字。

ㄱ : 한글 자모의 첫째 글자. 이름은 기역으로 소리를 낼 때 혀뿌리가 목구멍을 막는 모양을 본떠 만든 글자이다.

无对应词汇

韩文的第一个字母，名为"기역"，是模仿发音时舌根堵住喉咙口的形状而创制的文字。

ㄲ : 한글 자모 'ㄱ'을 겹쳐 쓴 글자. 이름은 쌍기역으로, 'ㄱ'의 된소리이다.
无对应词汇
将韩文字母"ㄱ"叠写而成的文字，名为"双기역"，是"ㄱ"的挤喉音。

ㅋ : 한글 자모의 열한째 글자. 이름은 '키읔'으로 'ㄱ'보다 소리가 거세게 나므로 'ㄱ'에 한 획을 더하여 만든 글자이다.
无对应词汇
韩文的第十一个字母，名为"키읔"，因其发音比"ㄱ"更强烈，所以是在"ㄱ"的基础上增加了一划而创制的文字。

ㅈ : 한글 자모의 아홉째 글자. 이름은 '지읒'으로, 'ㅅ'보다 소리가 더 세게 나므로 'ㅅ'에 한 획을 더해 만든 글자이다.
无对应词汇
韩文的第九个字母，名为"지읒"，因其发音比"ㅅ"更有力，所以是在"ㅅ"的基础上增加了一划而创制的文字。

ㅉ : 한글 자모 'ㅈ'을 겹쳐 쓴 글자. 이름은 쌍지읒으로, 'ㅈ'의 된소리이다.
无对应词汇
韩文字母"ㅈ"叠写而成的字，名为"双지읒"，是"ㅈ"的挤喉音。

ㅊ : 한글 자모의 열째 글자. 이름은 '치읓'으로 '지읒'보다 소리가 거세게 나므로 '지읒'에 한 획을 더해서 만든 글자이다.
无对应词汇
韩文的第十个字母，名为"치읓"，因其发音比"ㅈ"更强烈，所以是在"ㅈ"的基础上增加了一划而创制的文字。

ㅅ : 한글 자모의 일곱째 글자. 이름은 '시옷'으로 이의 모양을 본떠서 만든 글자이다.
无对应词汇
韩文的第七个字母，名为"시옷"，是模仿牙齿的形状而创制的文字。

ㅆ : 한글 자모 'ㅅ'을 겹쳐 쓴 글자. 이름은 쌍시옷으로, 'ㅅ'의 된소리이다.
无对应词汇
将韩文字母"ㅅ"叠写而成的字，名为"双시옷"，是"ㅅ"的挤喉音。

ㅎ : 한글 자모의 열넷째 글자. 이름은 '히읗'으로, 이 글자의 소리는 목청에서 나므로 목구멍을 본떠 만든 'ㅇ'의 경우와 같지만 'ㅇ'보다 더 세게 나므로 'ㅇ'에 획을 더하여 만든 글자이다.
无对应词汇
韩文的第十四个字母，名为"히읗"，和"ㅇ"一样也模仿了发音部位喉咙口的形状，但因其发音比"ㅇ"更有力，所以是在"ㅇ"的基础上增加了笔画而创制的文字。

ㅁ : 한글 자모의 다섯째 글자. 이름은 '미음'으로, 소리를 낼 때 다물어지는 두 입술 모양을 본떠서 만든 글자이다.
无对应词汇
韩文的第五个字母，名为"미음"，是模仿发音时双唇合上的形状而创制的文字。

ㄴ : 한글 자모의 둘째 글자. 이름은 '니은'으로 소리를 낼 때 혀끝이 윗잇몸에 붙는 모양을 본떠 만든 글자이다.

无对应词汇

韩文的第二个字母，名为"니은"，是模仿发音时舌尖附着上牙龈的形状而创制的文字。

ㅇ : 한글 자모의 여덟째 글자. 이름은 '이응'으로 목구멍의 모양을 본떠서 만든 글자이다. 초성으로 쓰일 때 소리가 없다.

无对应词汇

韩文的第八个字母，名为"이응"，是模仿喉咙口的形状而创制的文字，用作初声时不发音。

ㄹ : 한글 자모의 넷째 글자. 이름은 '리을'로 혀끝을 윗잇몸에 가볍게 대었다가 떼면서 내는 소리를 나타낸다.

无对应词汇

韩文的第四个字母，名为"리을"，表示舌尖轻触上牙龈后再分开时发出的声音。

자음 열아홉 개 소리

자음 (名词) : 목, 입, 혀 등의 발음 기관에 의해 장애를 받으며 나는 소리.

子音，辅音

喉咙、嘴、舌等发音器官受阻发出的声音。

열아홉 : 19

개 (名词) : 낱으로 떨어진 물건을 세는 단위.

个

计算单个东西的计量单位。

소리 (名词) : 물체가 진동하여 생긴 음파가 귀에 들리는 것.

声音，声，音，动静

物体震动发出的音波传入耳朵中产生的响声。

아 어 오 우 으 이 애 에 외 위 야 여 요 유 얘 예 와 워 왜 웨 의

ㅏ : 한글 자모의 열다섯째 글자. 이름은 '아'이고 중성으로 쓴다.

无对应词汇

韩文的第十五个字母，名为"아"，用作中声。

ㅓ : 한글 자모의 열일곱째 글자. 이름은 '어'이고 중성으로 쓴다.

无对应词汇

韩文的第十七个字母，名为"어"，用作中声。

ㅗ : 한글 자모의 열아홉째 글자. 이름은 '오'이고 중성으로 쓴다.
无对应词汇
韩文的第十九个字母，名为"오"，用作中声。

ㅜ : 한글 자모의 스물한째 글자. 이름은 '우'이고 중성으로 쓴다.
无对应词汇
韩文的第二十一个字母，名为"우"，用作中声。

ㅡ : 한글 자모의 스물셋째 글자. 이름은 '으'이고 중성으로 쓴다.
无对应词汇
韩文的第二十三个字母，名为"으"，用作中声。

ㅣ : 한글 자모의 스물넷째 글자. 이름은 '이'이고 중성으로 쓴다.
无对应词汇
韩文的第二十四个字母，名为"이"，用作中声。

ㅐ : 한글 자모 'ㅏ'와 'ㅣ'를 모아 쓴 글자. 이름은 '애'이고 중성으로 쓴다.
无对应词汇
韩文字母"ㅏ"和"ㅣ"合写而成的字，名为"애"，用作中声。

ㅔ : 한글 자모 'ㅓ'와 'ㅣ'를 모아 쓴 글자. 이름은 '에'이고 중성으로 쓴다.
无对应词汇
将韩文字母"ㅓ"和"ㅣ"合写而成的字，名为"에"，用作中声。

ㅚ : 한글 자모 'ㅗ'와 'ㅣ'를 모아 쓴 글자. 이름은 '외'이고 중성으로 쓴다.
无对应词汇
将韩文字母"ㅗ"和"ㅣ"合写而成的字，名为"외"，用作中声。

ㅟ : 한글 자모 'ㅜ'와 'ㅣ'를 모아 쓴 글자. 이름은 '위'이고 중성으로 쓴다.
无对应词汇
将韩文字母"ㅜ"和"ㅣ"合写而成的字，名为"위"，用作中声。

ㅑ : 한글 자모의 열여섯째 글자. 이름은 '야'이고 중성으로 쓴다.
无对应词汇
韩文的第十六个字母，名为"야"，用作中声。

ㅕ : 한글 자모의 열여덟째 글자. 이름은 '여'이고 중성으로 쓴다.
无对应词汇
韩文的第十八个字母，名为"여"，用作中声。

ㅛ : 한글 자모의 스무째 글자. 이름은 '요'이고 중성으로 쓴다.
无对应词汇
韩文的第二十个字母，名为"요"，用作中声。

ㅠ : 한글 자모의 스물두째 글자. 이름은 '유'이고 중성으로 쓴다.
无对应词汇
韩文的第二十二个字母，名为"유"，用作中声。

ㅒ : 한글 자모 'ㅑ'와 'ㅣ'를 모아 쓴 글자. 이름은 '얘'이고 중성으로 쓴다.
无对应词汇
将韩文字母"ㅑ"和"ㅣ"合写而成的字，名为"얘"，用作中声。

ㅖ : 한글 자모 'ㅕ'와 'ㅣ'를 모아 쓴 글자. 이름은 '예'이고 중성으로 쓴다.
无对应词汇
将韩文字母"ㅕ"和"ㅣ"合写而成的字，名为"예"，用作中声。

ㅘ : 한글 자모 'ㅗ'와 'ㅏ'를 모아 쓴 글자. 이름은 '와'이고 중성으로 쓴다.
无对应词汇
将韩文字母"ㅗ"和"ㅏ"合写而成的字，名为"와"，用作中声。

ㅝ : 한글 자모 'ㅜ'와 'ㅓ'를 모아 쓴 글자. 이름은 '워'이고 중성으로 쓴다.
无对应词汇
将韩文字母"ㅜ"和"ㅓ"合写而成的字，名为"워"，用作中声。

ㅙ : 한글 자모 'ㅗ'와 'ㅐ'를 모아 쓴 글자. 이름은 '왜'이고 중성으로 쓴다.
无对应词汇
将韩文字母"ㅗ"和"ㅐ"合写而成的字，名为"왜"，用作中声。

ㅞ : 한글 자모 'ㅜ'와 'ㅔ'를 모아 쓴 글자. 이름은 '웨'이고 중성으로 쓴다.
无对应词汇
将韩文字母"ㅜ"和"ㅔ"合写而成的字，名为"웨"，用作中声。

ㅢ : 한글 자모 'ㅡ'와 'ㅣ'를 모아 쓴 글자. 이름은 '의'이고 중성으로 쓴다.
无对应词汇
将韩文字母"ㅡ"和"ㅣ"合写而成的字，名为"의"，用作中声。

모음 스물한 개 소리

모음 (名词) : 사람이 목청을 울려 내는 소리로, 공기의 흐름이 방해를 받지 않고 나는 소리.
元音，母音
提高嗓门且气流不受阻碍发出的声音。

스물한 : 21

개 (名词) : 낱으로 떨어진 물건을 세는 단위.
个
计算单个东西的计量单位。

소리 (名词) : 물체가 진동하여 생긴 음파가 귀에 들리는 것.

声音，声，音，动静
物体震动发出的音波传入耳朵中产生的响声。

< 1 절(节) >

다 같이 말하+[여 보]+아.
말해 봐

다 (副词) : 남거나 빠진 것이 없이 모두.
全，都
一点不剩或不落下而全部。

같이 (副词) : 둘 이상이 함께.
一起，一同
两个以上同时。

말하다 (动词) : 어떤 사실이나 자신의 생각 또는 느낌을 말로 나타내다.
说，讲
用话语表达某种事实、自己的想法或感觉等。

-여 보다 (表达) : 앞의 말이 나타내는 행동을 시험 삼아 함을 나타내는 표현.
无对应词汇
表示试着做前面所指的行动。

-아 (语尾) : (두루낮춤으로) 어떤 사실을 서술하거나 물음, 명령, 권유를 나타내는 종결 어미.
无对应词汇
(普卑) 表示陈述、询问、命令或劝说某种事实。**<命令>**

아설순치후

아 → 어금니 (名词) : 송곳니의 안쪽에 있는 크고 가운데가 오목한 이.
臼齿，槽牙
位于虎牙里面的，大而中间凹陷的牙齿。

설 → 혀 (名词) : 사람이나 동물의 입 안 아래쪽에 있는 길고 붉은 살덩어리.
舌头
人或者动物嘴下方的长红色肉块。

순 → 입술 (名词) : 사람의 입 주위를 둘러싸고 있는 붉고 부드러운 살.
嘴唇
围绕人的嘴周围的又红又软的肉。

치 → 이 (名词) : 사람이나 동물의 입 안에 있으며 무엇을 물거나 음식물을 씹는 일을 하는 기관.
牙齿
长在人或动物嘴里，用于咬东西或咀嚼食物的器官。

후 → 목구멍 (名词) : 목 안쪽에서 몸속으로 나 있는 깊숙한 구멍.
喉咙口，嗓子眼
喉咙里进入体内的深口。

다 함께 부르(불ㄹ)+[어 보]+아.
불러 봐

다 (副词) : 남거나 빠진 것이 없이 모두.
全，都
一点不剩或不落下而全部。

함께 (副词) : 여럿이서 한꺼번에 같이.
一起，共同，与共
许多人一下子同时。

부르다 (动词) : 곡조에 따라 노래하다.
唱
依照曲调歌唱。

-어 보다 (表达) : 앞의 말이 나타내는 행동을 시험 삼아 함을 나타내는 표현.
无对应词汇
表示试着做前面所指的行动。

-아 (语尾) : (두루낮춤으로) 어떤 사실을 서술하거나 물음, 명령, 권유를 나타내는 종결 어미.
无对应词汇
(普卑) 表示陈述、询问、命令或劝说某种事实。**<命令>**

아설순치후

아 → 어금니 (名词) : 송곳니의 안쪽에 있는 크고 가운데가 오목한 이.
臼齿，槽牙
位于虎牙里面的，大而中间凹陷的牙齿。

설 → 혀 (名词) : 사람이나 동물의 입 안 아래쪽에 있는 길고 붉은 살덩어리.
舌头
人或者动物嘴下方的长红色肉块。

순 → 입술 (名词) : 사람의 입 주위를 둘러싸고 있는 붉고 부드러운 살.
嘴唇
围绕人的嘴周围的又红又软的肉。

치 → 이 (名词) : 사람이나 동물의 입 안에 있으며 무엇을 물거나 음식물을 씹는 일을 하는 기관.
牙齿
长在人或动物嘴里，用于咬东西或咀嚼食物的器官。

후 → 목구멍 (名词) : 목 안쪽에서 몸속으로 나 있는 깊숙한 구멍.
喉咙口，嗓子眼
喉咙里进入体内的深口。

우리 모두 느끼+[어 보]+아.
느껴 봐

우리 (代词) : 말하는 사람이 자기와 듣는 사람 또는 이를 포함한 여러 사람들을 가리키는 말.
我们，咱们
说话人指代自己和听话人在内的一些人。

모두 (副词) : 빠짐없이 다.
都，全
一个不漏，全都。

느끼다 (动词) : 특정한 대상이나 상황을 어떻다고 생각하거나 인식하다.
认为，觉得，感到
感觉或认识到特定的对象或情况如何。

-어 보다 (表达) : 앞의 말이 나타내는 행동을 시험 삼아 함을 나타내는 표현.
无对应词汇
表示试着做前面所指的行动。

-아 (语尾) : (두루낮춤으로) 어떤 사실을 서술하거나 물음, 명령, 권유를 나타내는 종결 어미.
无对应词汇
(普卑) 表示陈述、询问、命令或劝说某种事实。**<命令>**

발음 기관+을 본뜨+ㄴ 기역, 니은, 미음, 시옷, 이응
본뜬

발음 기관 (名词) : 말소리를 내는 데 쓰는 신체의 각 부분.
发音器官
用于发出声音的身体各部位。

을 (助词) : 동작이 직접적으로 영향을 미치는 대상을 나타내는 조사.
无对应词汇
表示动作直接涉及的对象。

본뜨다 (动词) : 이미 있는 것을 그대로 따라서 만들다.
模仿，仿照
照着已经存在的东西做成一样的。

-ㄴ (语尾) : 앞의 말이 관형어의 기능을 하게 만들고 사건이나 동작이 완료되어 그 상태가 유지되고 있음을 나타내는 어미.
无对应词汇
使前面的词具有定语功能，表示事件或动作完成后其状态一直持续。

기역 (名词) : 한글 자모 'ㄱ'의 이름.
无对应词汇
韩文字母"ㄱ"的名称。

니은 (名词) : 한글 자모 'ㄴ'의 이름.
无对应词汇
韩文字母"ㄴ"的名称。

미음 (名词) : 한글 자모 'ㅁ'의 이름.
无对应词汇
韩文字母"ㅁ"的名称。

시옷 (名词) : 한글 자모 'ㅅ'의 이름.
无对应词汇
韩文字母'ㅅ'的名字。

이응 (名词) : 한글 자모 'ㅇ'의 이름.
无对应词汇
韩文字母"ㅇ"的名称。

다섯 글자

다섯 (冠形词) : 넷에 하나를 더한 수의.
五
四加一所得数的。

글자 (名词) : 말을 적는 기호.
字，文字
记录语言的符号。

세상+의 모든 소리+를 듣(들)+[어 보]+아.
들어 봐

세상 (名词) : 지구 위 전체.
天下，世界
地球上的全部。

의 (助词) : 앞의 말이 뒤의 말에 대하여 소유, 소속, 소재, 관계, 기원, 주체의 관계를 가짐을 나타내는 조사.
的
表示所有、所属、所在、关系、来源、主体等关系。

모든 (冠形词) : 빠지거나 남는 것 없이 전부인.
全，所有
一个不漏或一个不剩，全部的。

소리 (名词) : 물체가 진동하여 생긴 음파가 귀에 들리는 것.
声音，声，音，动静
物体震动发出的音波传入耳朵中产生的响声。

를 (助词) : 동작이 직접적으로 영향을 미치는 대상을 나타내는 조사.
无对应词汇
表示动作直接涉及的对象。

듣다 (动词) : 귀로 소리를 알아차리다.
听
用耳朵接受声音。

-어 보다 (表达) : 앞의 말이 나타내는 행동을 시험 삼아 함을 나타내는 표현.
无对应词汇
表示试着做前面所指的行动。

-아 (语尾) : (두루낮춤으로) 어떤 사실을 서술하거나 물음, 명령, 권유를 나타내는 종결 어미.
无对应词汇
(普卑) 表示陈述、询问、命令或劝说某种事实。**<命令>**

또 하+[고 싶]+은 말+을 다 외치+[어 보]+아.

외쳐 봐

또 (副词) : 그 밖에 더.
还
除此之外。

하다 (动词) : 어떤 행동이나 동작, 활동 등을 행하다.
做，干
进行某种行动、动作或活动。

-고 싶다 (表达) : 앞의 말이 나타내는 행동을 하기를 원함을 나타내는 표현.
想，要
表示有做前面行动的意愿。

-은 (语尾) : 앞의 말이 관형어의 기능을 하게 만들고 현재의 상태를 나타내는 어미.
无对应词汇
使前面的词具有定语功能，表示现在的状态。

말 (名词) : 생각이나 느낌을 표현하고 전달하는 사람의 소리.
声，声音
表达想法或感觉的人的声响。

을 (助词) : 동작이 직접적으로 영향을 미치는 대상을 나타내는 조사.
无对应词汇
表示动作直接涉及的对象。

다 (副词) : 남거나 빠진 것이 없이 모두.
全，都
一点不剩或不落下而全部。

외치다 (动词) : 큰 소리를 지르다.
高喊，大喊
大声叫。

-어 보다 (表达) : 앞의 말이 나타내는 행동을 시험 삼아 함을 나타내는 표현.
无对应词汇
表示试着做前面所指的行动。

-아 (语尾) : (두루낮춤으로) 어떤 사실을 서술하거나 물음, 명령, 권유를 나타내는 종결 어미.
无对应词汇
(普卑) 表示陈述、询问、命令或劝说某种事实。**<命令>**

신비롭(신비로우)+ㄴ 사연, 감추+었던 비밀
신비로운

신비롭다 (形容词) : 보통의 생각으로는 이해할 수 없을 정도로 놀랍고 신기한 느낌이 있다.
神秘
有以普通想法无法理解的惊讶神奇的感觉。

-ㄴ (语尾) : 앞의 말이 관형어의 기능을 하게 만들고 현재의 상태를 나타내는 어미.
无对应词汇
使前面的词具有定语功能，表示现在的状态。

사연 (名词) : 일어난 일의 앞뒤 사정과 까닭.
缘故，缘由
事情发生的因由。

감추다 (动词) : 어떤 사실이나 감정을 남이 모르도록 알리지 않고 비밀로 하다.
隐藏，隐瞒
把某个事实或感情当作秘密，不说出来，不让别人知道。

-었던 (表达) : 과거의 사건이나 상태를 다시 떠올리거나 그 사건이나 상태가 완료되지 않고 중단되었다는 의미를 나타내는 표현.
无对应词汇
表示回顾过去的事件或状态，或指该事件或状态结束之前就已经中断。

비밀 (名词) : 숨기고 있어 남이 모르는 일.
秘密
隐秘而不为人知的事情。

진실+을 전하+[여 주]+어.
전해 줘

진실 (名词) : 순수하고 거짓이 없는 마음.
真心，真诚
纯粹无邪的心。

을 (助词) : 동작이 직접적으로 영향을 미치는 대상을 나타내는 조사.
无对应词汇
表示动作直接涉及的对象。

전하다 (动词) : 어떤 소식, 생각 등을 상대에게 알리다.
转达
将消息、想法等告知对方。

-여 주다 (表达) : 남을 위해 앞의 말이 나타내는 행동을 함을 나타내는 표현.
给
表示为别人做前面表达的行动。

-어 (语尾) : (두루낮춤으로) 어떤 사실을 서술하거나 물음, 명령, 권유를 나타내는 종결 어미.
无对应词汇
(普卑) 表示陈述某种事实、询问、命令或劝说。**<命令>**

< 후렴(副歌) >

아 야 어 여 오 요 우 유 으 이

가 나 다 라 마 바 사 아 자 차 카 타 파 하

이제+부터 들리+[어 주]+어 너+의 마음+을.
들려 줘

이제 (名词) : 말하고 있는 바로 이때.
现在
说话的同时。

부터 (助词) : 어떤 일의 시작이나 처음을 나타내는 조사.
从
表示某事的开始或起始。

들리다 (动词) : 듣게 하다.
使听到
让听见。

-어 주다 (表达) : 남을 위해 앞의 말이 나타내는 행동을 함을 나타내는 표현.
给
表示为别人做前面表达的行动。

-어 (语尾) : (두루낮춤으로) 어떤 사실을 서술하거나 물음, 명령, 권유를 나타내는 종결 어미.
无对应词汇
(普卑) 表示陈述某种事实、询问、命令或劝说。**<命令>**

너 (代词) : 듣는 사람이 친구나 아랫사람일 때, 그 사람을 가리키는 말.
你
指代听者，用于朋友或晚辈。

의 (助词) : 앞의 말이 뒤의 말에 대하여 소유, 소속, 소재, 관계, 기원, 주체의 관계를 가짐을 나타내는 조사.
的
表示所有、所属、所在、关系、来源、主体等关系。

마음 (名词) : 기분이나 느낌.
心情，心绪
情绪或感受。

을 (助词) : 동작이 직접적으로 영향을 미치는 대상을 나타내는 조사.
无对应词汇
表示动作直接涉及的对象。

지금+부터 전하+[여 주]+어 너+의 사랑+을.
전해 줘

지금 (名词) : 말을 하고 있는 바로 이때.
现在
指正在说话的此时。

부터 (助词) : 어떤 일의 시작이나 처음을 나타내는 조사.
从
表示某事的开始或起始。

전하다 (动词) : 어떤 소식, 생각 등을 상대에게 알리다.
转达
将消息、想法等告知对方。

-여 주다 (表达) : 남을 위해 앞의 말이 나타내는 행동을 함을 나타내는 표현.
给
表示为别人做前面表达的行动。

-어 (语尾) : (두루낮춤으로) 어떤 사실을 서술하거나 물음, 명령, 권유를 나타내는 종결 어미.
无对应词汇
(普卑) 表示陈述某种事实、询问、命令或劝说。**<命令>**

너 (代词) : 듣는 사람이 친구나 아랫사람일 때, 그 사람을 가리키는 말.
你
指代听者，用于朋友或晚辈。

의 (助词) : 앞의 말이 뒤의 말에 대하여 소유, 소속, 소재, 관계, 기원, 주체의 관계를 가짐을 나타내는 조사.
的
表示所有、所属、所在、关系、来源、主体等关系。

사랑 (名词) : 아끼고 소중히 여겨 정성을 다해 위하는 마음.
疼爱，关爱
爱护珍惜并真诚相待的心。

을 (助词) : 동작이 직접적으로 영향을 미치는 대상을 나타내는 조사.
无对应词汇
表示动作直接涉及的对象。

아 야 어 여 오 요 우 유 으 이

가 나 다 라 마 바 사 아 자 차 카 타 파 하

모음 스물하나+에 자음 열아홉+을 <u>더하+여</u>

더해

모음 (名词) : 사람이 목청을 울려 내는 소리로, 공기의 흐름이 방해를 받지 않고 나는 소리.
元音，母音
提高嗓门且气流不受阻碍发出的声音。

스물하나 : 21

에 (助词) : 앞말에 무엇이 더해짐을 나타내는 조사.
无对应词汇
表示添加某物。

자음 (名词) : 목, 입, 혀 등의 발음 기관에 의해 장애를 받으며 나는 소리.
子音，辅音
喉咙、嘴、舌等发音器官受阻发出的声音。

열아홉 : 19

을 (助词) : 동작 대상의 수량이나 동작의 순서를 나타내는 조사.
无対应词汇
表示动作对象的数量或动作的顺序。

더하다 (动词) : 보태어 늘리거나 많게 하다.
加，加上
添补使增加或变多。

-여 (语尾) : 앞의 말이 뒤의 말보다 먼저 일어났거나 뒤의 말에 대한 방법이나 수단이 됨을 나타내는 연결 어미.
无対应词汇
表示前句先于后句发生，或表示前句是后句的方法或手段。

마흔 가지 소리+로 세상+을 느끼+[어 보]+아.
느껴 봐

마흔 (冠形词) : 열의 네 배가 되는 수의.
四十
十的四倍数的。

가지 (名词) : 사물의 종류를 헤아리는 말.
种，项，类别，个
表示事物种类的数量单位。

소리 (名词) : 물체가 진동하여 생긴 음파가 귀에 들리는 것.
声音，声，音，动静
物体震动发出的音波传入耳朵中产生的响声。

로 (助词) : 어떤 일의 수단이나 도구를 나타내는 조사.
无対应词汇
表示某事的手段或工具。

세상 (名词) : 지구 위 전체.
天下，世界
地球上的全部。

을 (助词) : 동작이 직접적으로 영향을 미치는 대상을 나타내는 조사.
无対应词汇
表示动作直接涉及的对象。

느끼다 (动词) : 특정한 대상이나 상황을 어떻다고 생각하거나 인식하다.
认为，觉得，感到
感觉或认识到特定的对象或情况如何。

-어 보다 (表达) : 앞의 말이 나타내는 행동을 시험 삼아 함을 나타내는 표현.
无对应词汇
表示试着做前面所指的行动。

-아 (语尾) : (두루낮춤으로) 어떤 사실을 서술하거나 물음, 명령, 권유를 나타내는 종결 어미.
无对应词汇
(普卑) 表示陈述、询问、命令或劝说某种事实。**<命令>**

< 2 절(节) >

하늘+과 땅+이 만나+(아) ㅗ, ㅜ.
만나

하늘 (名词) : 땅 위로 펼쳐진 무한히 넓은 공간.
天空
地面上无限伸展的空间。

과 (助词) : 앞과 뒤의 명사를 같은 자격으로 이어 줄 때 쓰는 조사.
和，跟
用于并列前后名词。

땅 (名词) : 지구에서 물로 된 부분이 아닌 흙이나 돌로 된 부분.
陆地，大陆
地球上除水以外，由土或石头构成的部分。

이 (助词) : 어떤 상태나 상황의 대상이나 동작의 주체를 나타내는 조사.
无对应词汇
表示行为的主体或状态描述的对象。

만나다 (动词) : 선이나 길, 강 등이 서로 마주 닿거나 연결되다.
交汇
线、路、江等汇集或连接在一起。

-아 (语尾) : 앞의 말이 뒤의 말보다 먼저 일어났거나 뒤의 말에 대한 방법이나 수단이 됨을 나타내는 연결 어미.
无对应词汇
表示前句先于后句发生，或表示前句是后句的方法或手段。

ㅗ (名词) : 한글 자모의 열아홉째 글자. 이름은 '오'이고 중성으로 쓴다.
无对应词汇
韩文的第十九个字母，名为“오”，用作中声。

ㅜ (名词) : 한글 자모의 스물한째 글자. 이름은 '우'이고 중성으로 쓴다.
无对应词汇
韩文的第二十一个字母，名为“우”，用作中声。

사람+과 만나+ㄴ다면 ㅏ, ㅓ.
만난다면

사람 (名词) : 생각할 수 있으며 언어와 도구를 만들어 사용하고 사회를 이루어 사는 존재.
人
可以思考，会制造并使用语言和工具、构成社会而生活的存在。

과 (助词) : 누군가를 상대로 하여 어떤 일을 할 때 그 상대임을 나타내는 조사.
和，跟
表示做某事时针对的对象。

만나다 (动词) : 선이나 길, 강 등이 서로 마주 닿거나 연결되다.
交汇
线、路、江等汇集或连接在一起。

-ㄴ다면 (语尾) : 어떠한 사실이나 상황을 가정하는 뜻을 나타내는 연결 어미.
无对应词汇
表示假设某个事实或状况。

ㅏ (名词) : 한글 자모의 열다섯째 글자. 이름은 '아'이고 중성으로 쓴다.
无对应词汇
韩文的第十五个字母，名为“아”，用作中声。

ㅓ (名词) : 한글 자모의 열일곱째 글자. 이름은 '어'이고 중성으로 쓴다.
无对应词汇
韩文的第十七个字母，名为“어”，用作中声。

하루+(이)+면+은 충분하+여.
하루면은 충분해

하루 (名词) : 밤 열두 시부터 다음 날 밤 열두 시까지의 스물네 시간.
一天
从晚上12点到第二天晚上12点的24个小时。

이다 (助词) : 주어가 지시하는 대상의 속성이나 부류를 지정하는 뜻을 나타내는 서술격 조사.
无对应词汇
表示指定主语所指示的属性或类型。

-면 (语尾) : 뒤에 오는 말에 대한 근거나 조건이 됨을 나타내는 연결 어미.
无对应词汇
表示前句为后句的根据或条件。

은 (助词) : 강조의 뜻을 나타내는 조사.
无对应词汇
表示强调。

충분하다 (形容词) : 모자라지 않고 넉넉하다.
充分，充足，足够
不欠缺，十分充裕。

-여 (语尾) : (두루낮춤으로) 어떤 사실을 서술하거나 물음, 명령, 권유를 나타내는 종결 어미.
无对应词汇
(普卑) 表示陈述某种事实、询问、命令或劝说。**<叙述>**

하늘, 땅, 사람+을 본뜨+ㄴ 아 어 오 우 야 여 요 유 으 이.
본뜬

하늘 (名词) : 땅 위로 펼쳐진 무한히 넓은 공간.
天空
地面上无限伸展的空间。

땅 (名词) : 지구에서 물로 된 부분이 아닌 흙이나 돌로 된 부분.
陆地，大陆
地球上除水以外，由土或石头构成的部分。

사람 (名词) : 생각할 수 있으며 언어와 도구를 만들어 사용하고 사회를 이루어 사는 존재.
人
可以思考，会制造并使用语言和工具、构成社会而生活的存在。

을 (助词) : 동작이 직접적으로 영향을 미치는 대상을 나타내는 조사.
无对应词汇
表示动作直接涉及的对象。

본뜨다 (动词) : 이미 있는 것을 그대로 따라서 만들다.
模仿，仿照
照着已经存在的东西做成一样的。

-ㄴ (语尾) : 앞의 말이 관형어의 기능을 하게 만들고 사건이나 동작이 완료되어 그 상태가 유지되고 있음을 나타내는 어미.
无对应词汇
使前面的词具有定语功能，表示事件或动作完成后其状态一直持续。

아 (名词) : 한글 자모의 열다섯째 글자. 이름은 '아'이고 중성으로 쓴다.
无对应词汇
韩文的第十五个字母，名为"아"，用作中声。

어 (名词) : 한글 자모의 열일곱째 글자. 이름은 '어'이고 중성으로 쓴다.
无对应词汇
韩文的第十七个字母，名为"어"，用作中声。

오 (名词) : 한글 자모의 열아홉째 글자. 이름은 '오'이고 중성으로 쓴다.
无对应词汇
韩文的第十九个字母，名为"오"，用作中声。

우 (名词) : 한글 자모의 스물한째 글자. 이름은 '우'이고 중성으로 쓴다.
无对应词汇
韩文的第二十一个字母，名为"우"，用作中声。

야 (名词) : 한글 자모의 열여섯째 글자. 이름은 '야'이고 중성으로 쓴다.
无对应词汇
韩文的第十六个字母，名为"야"，用作中声。

여 (名词) : 한글 자모의 열여덟째 글자. 이름은 '여'이고 중성으로 쓴다.
无对应词汇
韩文的第十八个字母，名为"여"，用作中声。

요 (名词) : 한글 자모의 스무째 글자. 이름은 '요'이고 중성으로 쓴다.
无对应词汇
韩文的第二十个字母，名为"요"，用作中声。

유 (名词) : 한글 자모의 스물두째 글자. 이름은 '유'이고 중성으로 쓴다.
无对应词汇
韩文的第二十二个字母，名为"유"，用作中声。

으 (名词) : 한글 자모의 스물셋째 글자. 이름은 '으'이고 중성으로 쓴다.
无对应词汇
韩文的第二十三个字母，名为"으"，用作中声。

이 (名词) : 한글 자모의 스물넷째 글자. 이름은 '이'이고 중성으로 쓴다.
无对应词汇
韩文的第二十四个字母，名为"이"，用作中声。

열 글자

열 (冠形词) : 아홉에 하나를 더한 수의.
十
九加一的数。

글자 (名词) : 말을 적는 기호.
字，文字
记录语言的符号。

세상+의 모든 소리+를 듣(들)+[어 보]+아.
들어 봐

세상 (名词) : 지구 위 전체.
天下，世界
地球上的全部。

의 (助词) : 앞의 말이 뒤의 말에 대하여 소유, 소속, 소재, 관계, 기원, 주체의 관계를 가짐을 나타내는 조사.
的
表示所有、所属、所在、关系、来源、主体等关系。

모든 (冠形词) : 빠지거나 남는 것 없이 전부인.
全，所有
一个不漏或一个不剩，全部的。

소리 (名词) : 물체가 진동하여 생긴 음파가 귀에 들리는 것.
声音，声，音，动静
物体震动发出的音波传入耳朵中产生的响声。

를 (助词) : 동작이 직접적으로 영향을 미치는 대상을 나타내는 조사.
无对应词汇
表示动作直接涉及的对象。

듣다 (动词) : 귀로 소리를 알아차리다.
听
用耳朵接受声音。

-어 보다 (表达) : 앞의 말이 나타내는 행동을 시험 삼아 함을 나타내는 표현.
无对应词汇
表示试着做前面所指的行动。

-아 (语尾) : (두루낮춤으로) 어떤 사실을 서술하거나 물음, 명령, 권유를 나타내는 종결 어미.
无对应词汇
(普卑) 表示陈述、询问、命令或劝说某种事实。**<命令>**

또 하+[고 싶]+은 말+을 다 외치+[어 보]+아.
외쳐 봐

또 (副词) : 그 밖에 더.
还
除此之外。

하다 (动词) : 어떤 행동이나 동작, 활동 등을 행하다.
做，干
进行某种行动、动作或活动。

-고 싶다 (表达) : 앞의 말이 나타내는 행동을 하기를 원함을 나타내는 표현.
想，要
表示有做前面行动的意愿。

-은 (语尾) : 앞의 말이 관형어의 기능을 하게 만들고 현재의 상태를 나타내는 어미.
无对应词汇
使前面的词具有定语功能，表示现在的状态。

말 (名词) : 생각이나 느낌을 표현하고 전달하는 사람의 소리.
声，声音
表达想法或感觉的人的声响。

을 (助词) : 동작이 직접적으로 영향을 미치는 대상을 나타내는 조사.
无对应词汇
表示动作直接涉及的对象。

다 (副词) : 남거나 빠진 것이 없이 모두.
全，都
一点不剩或不落下而全部。

외치다 (动词) : 큰 소리를 지르다.
高喊，大喊
大声叫。

-어 보다 (表达) : 앞의 말이 나타내는 행동을 시험 삼아 함을 나타내는 표현.
无对应词汇
表示试着做前面所指的行动。

-아 (语尾) : (두루낮춤으로) 어떤 사실을 서술하거나 물음, 명령, 권유를 나타내는 종결 어미.
无对应词汇
(普卑) 表示陈述、询问、命令或劝说某种事实。**<命令>**

신비롭(신비로우)+ㄴ 사연, 감추+었던 비밀
신비로운

신비롭다 (形容词) : 보통의 생각으로는 이해할 수 없을 정도로 놀랍고 신기한 느낌이 있다.
神秘
有以普通想法无法理解的惊讶神奇的感觉。

-ㄴ (语尾) : 앞의 말이 관형어의 기능을 하게 만들고 현재의 상태를 나타내는 어미.
无对应词汇
使前面的词具有定语功能，表示现在的状态。

사연 (名词) : 일어난 일의 앞뒤 사정과 까닭.
缘故，缘由
事情发生的因由。

감추다 (动词) : 어떤 사실이나 감정을 남이 모르도록 알리지 않고 비밀로 하다.
隐藏，隐瞒
把某个事实或感情当作秘密，不说出来，不让别人知道。

-었던 (表达) : 과거의 사건이나 상태를 다시 떠올리거나 그 사건이나 상태가 완료되지 않고 중단되었다는 의미를 나타내는 표현.
无对应词汇
表示回顾过去的事件或状态，或指该事件或状态结束之前就已经中断。

비밀 (名词) : 숨기고 있어 남이 모르는 일.
秘密
隐秘而不为人知的事情。

진실+을 전하+[여 주]+어.
전해 줘

진실 (名词) : 순수하고 거짓이 없는 마음.
真心，真诚
纯粹无邪的心。

을 (助词) : 동작이 직접적으로 영향을 미치는 대상을 나타내는 조사.
无对应词汇
表示动作直接涉及的对象。

전하다 (动词) : 어떤 소식, 생각 등을 상대에게 알리다.
转达
将消息、想法等告知对方。

-여 주다 (表达) : 남을 위해 앞의 말이 나타내는 행동을 함을 나타내는 표현.
给
表示为别人做前面表达的行动。

-어 (语尾) : (두루낮춤으로) 어떤 사실을 서술하거나 물음, 명령, 권유를 나타내는 종결 어미.
无对应词汇
(普卑) 表示陈述某种事实、询问、命令或劝说。**<命令>**

< 후렴(副歌) >

아 야 어 여 오 요 우 유 으 이

가 나 다 라 마 바 사 아 자 차 카 타 파 하

이제+부터 들리+[어 주]+어 너+의 마음+을.
들려 줘

이제 (名词) : 말하고 있는 바로 이때.
现在
说话的同时。

부터 (助词) : 어떤 일의 시작이나 처음을 나타내는 조사.
从
表示某事的开始或起始。

들리다 (动词) : 듣게 하다.
使听到
让听见。

-어 주다 (表达) : 남을 위해 앞의 말이 나타내는 행동을 함을 나타내는 표현.
给
表示为别人做前面表达的行动。

-어 (语尾) : (두루낮춤으로) 어떤 사실을 서술하거나 물음, 명령, 권유를 나타내는 종결 어미.
无对应词汇
(普卑) 表示陈述某种事实、询问、命令或劝说。**<命令>**

너 (代词) : 듣는 사람이 친구나 아랫사람일 때, 그 사람을 가리키는 말.
你
指代听者，用于朋友或晚辈。

의 (助词) : 앞의 말이 뒤의 말에 대하여 소유, 소속, 소재, 관계, 기원, 주체의 관계를 가짐을 나타내는 조사.
的
表示所有、所属、所在、关系、来源、主体等关系。

마음 (名词) : 기분이나 느낌.
心情，心绪
情绪或感受。

을 (助词) : 동작이 직접적으로 영향을 미치는 대상을 나타내는 조사.
无对应词汇
表示动作直接涉及的对象。

지금+부터 전하+[여 주]+어 너+의 사랑+을.
전해 줘

지금 (名词) : 말을 하고 있는 바로 이때.
现在
指正在说话的此时。

부터 (助词) : 어떤 일의 시작이나 처음을 나타내는 조사.
从
表示某事的开始或起始。

전하다 (动词) : 어떤 소식, 생각 등을 상대에게 알리다.
转达
将消息、想法等告知对方。

-여 주다 (表达) : 남을 위해 앞의 말이 나타내는 행동을 함을 나타내는 표현.
给
表示为别人做前面表达的行动。

-어 (语尾) : (두루낮춤으로) 어떤 사실을 서술하거나 물음, 명령, 권유를 나타내는 종결 어미.
无对应词汇
(普卑) 表示陈述某种事实、询问、命令或劝说。**<命令>**

너 (代词) : 듣는 사람이 친구나 아랫사람일 때, 그 사람을 가리키는 말.
你
指代听者，用于朋友或晚辈。

의 (助词) : 앞의 말이 뒤의 말에 대하여 소유, 소속, 소재, 관계, 기원, 주체의 관계를 가짐을 나타내는 조사.
的
表示所有、所属、所在、关系、来源、主体等关系。

사랑 (名词) : 아끼고 소중히 여겨 정성을 다해 위하는 마음.
疼爱，关爱
爱护珍惜并真诚相待的心。

을 (助词) : 동작이 직접적으로 영향을 미치는 대상을 나타내는 조사.
无对应词汇
表示动作直接涉及的对象。

아 야 어 여 오 요 우 유 으 이

가 나 다 라 마 바 사 아 자 차 카 타 파 하

모음 스물하나+에 자음 열아홉+을 더하+여

더해

모음 (名词) : 사람이 목청을 울려 내는 소리로, 공기의 흐름이 방해를 받지 않고 나는 소리.
元音，母音
提高嗓门且气流不受阻碍发出的声音。

스물하나 : 21

에 (助词) : 앞말에 무엇이 더해짐을 나타내는 조사.
无对应词汇
表示添加某物。

자음 (名词) : 목, 입, 혀 등의 발음 기관에 의해 장애를 받으며 나는 소리.
子音，辅音
喉咙、嘴、舌等发音器官受阻发出的声音。

열아홉 : 19

을 (助词) : 동작 대상의 수량이나 동작의 순서를 나타내는 조사.
无对应词汇
表示动作对象的数量或动作的顺序。

더하다 (动词) : 보태어 늘리거나 많게 하다.
加，加上
添补使增加或变多。

-여 (语尾) : 앞의 말이 뒤의 말보다 먼저 일어났거나 뒤의 말에 대한 방법이나 수단이 됨을 나타내는 연결 어미.
无对应词汇
表示前句先于后句发生，或表示前句是后句的方法或手段。

마흔 가지 소리+로 세상+을 느끼+[어 보]+아.
느껴 봐

마흔 (冠形词) : 열의 네 배가 되는 수의.
四十
十的四倍数的。

가지 (名词) : 사물의 종류를 헤아리는 말.
种，项，类别，个
表示事物种类的数量单位。

소리 (名词) : 물체가 진동하여 생긴 음파가 귀에 들리는 것.
声音，声，音，动静
物体震动发出的音波传入耳朵中产生的响声。

로 (助词) : 어떤 일의 수단이나 도구를 나타내는 조사.
无对应词汇
表示某事的手段或工具。

세상 (名词) : 지구 위 전체.
天下，世界
地球上的全部。

을 (助词) : 동작이 직접적으로 영향을 미치는 대상을 나타내는 조사.
无对应词汇
表示动作直接涉及的对象。

느끼다 (动词) : 특정한 대상이나 상황을 어떻다고 생각하거나 인식하다.
认为，觉得，感到
感觉或认识到特定的对象或情况如何。

-어 보다 (表达) : 앞의 말이 나타내는 행동을 시험 삼아 함을 나타내는 표현.
无对应词汇
表示试着做前面所指的行动。

-아 (语尾) : (두루낮춤으로) 어떤 사실을 서술하거나 물음, 명령, 권유를 나타내는 종결 어미.
无对应词汇
(普卑) 表示陈述、询问、命令或劝说某种事实。**<命令>**

< 후렴(副歌) >

들리+[어 주]+어요.

들려 줘요

들리다 (动词) : 듣게 하다.
使听到
让听见。

-어 주다 (表达) : 남을 위해 앞의 말이 나타내는 행동을 함을 나타내는 표현.
给
表示为别人做前面表达的行动。

-어요 (语尾) : (두루높임으로) 어떤 사실을 서술하거나 질문, 명령, 권유함을 나타내는 종결 어미.
无对应词汇
(普尊) 表示叙述某个事实，或提问、命令、劝说。**<命令>**

이 소리 들리+나요?

이 (冠形词) : 말하는 사람에게 가까이 있거나 말하는 사람이 생각하고 있는 대상을 가리키는 말.
这，这个
用于指示与话者离得近的物品，或用于指示话者所想的对象。

소리 (名词) : 물체가 진동하여 생긴 음파가 귀에 들리는 것.
声音，声，音，动静
物体震动发出的音波传入耳朵中产生的响声。

들리다 (动词) : 소리가 귀를 통해 알아차려지다.
听到，传来
通过耳朵接受声音。

-나요 (表达) : (두루높임으로) 앞의 내용에 대해 상대방에게 물어볼 때 쓰는 표현.
无对应词汇
(普尊) 表示向对方询问前面所指的内容。

달콤하+게, 부드럽+게 우리 모두 말하+[여 보]+아요.
말해 봐요

달콤하다 (形容词) : 느낌이 좋고 기분이 좋다.
甜蜜，甜美
感觉好，心情爽。

-게 (语尾) : 앞의 말이 뒤에서 가리키는 일의 목적이나 결과, 방식, 정도 등이 됨을 나타내는 연결 어미.
无对应词汇
表示前面的内容为后面所指事情的目的、结果、方式或程度等。<方式>

부드럽다 (形容词) : 성격이나 마음씨, 태도 등이 다정하고 따뜻하다.
柔和，温柔
性格、心地或态度等多情而温暖。

-게 (语尾) : 앞의 말이 뒤에서 가리키는 일의 목적이나 결과, 방식, 정도 등이 됨을 나타내는 연결 어미.
无对应词汇
表示前面的内容为后面所指事情的目的、结果、方式或程度等。<方式>

우리 (代词) : 말하는 사람이 자기와 듣는 사람 또는 이를 포함한 여러 사람들을 가리키는 말.
我们，咱们
说话人指代自己和听话人在内的一些人。

모두 (副词) : 빠짐없이 다.
都，全
一个不漏，全都。

말하다 (动词) : 어떤 사실이나 자신의 생각 또는 느낌을 말로 나타내다.
说，讲
用话语表达某种事实、自己的想法或感觉等。

-여 보다 (表达) : 앞의 말이 나타내는 행동을 시험 삼아 함을 나타내는 표현.
无对应词汇
表示试着做前面所指的行动。

-아요 (语尾) : (두루높임으로) 어떤 사실을 서술하거나 질문, 명령, 권유함을 나타내는 종결 어미.
无对应词汇
(普尊) 表示叙述某个事实，或提问、命令、劝说。**<命令>**

아 야 어 여 오 요 우 유 으 이

가 나 다 라 마 바 사 아 자 차 카 타 파 하

이제+부터 들리+[어 주]+어 너+의 마음+을.
들려 줘

이제 (名词) : 말하고 있는 바로 이때.
现在
说话的同时。

부터 (助词) : 어떤 일의 시작이나 처음을 나타내는 조사.
从
表示某事的开始或起始。

들리다 (动词) : 듣게 하다.
使听到
让听见。

-어 주다 (表达) : 남을 위해 앞의 말이 나타내는 행동을 함을 나타내는 표현.
给
表示为别人做前面表达的行动。

-어 (语尾) : (두루낮춤으로) 어떤 사실을 서술하거나 물음, 명령, 권유를 나타내는 종결 어미.
无对应词汇
(普卑) 表示陈述某种事实、询问、命令或劝说。**<命令>**

너 (代词) : 듣는 사람이 친구나 아랫사람일 때, 그 사람을 가리키는 말.
你
指代听者，用于朋友或晚辈。

의 (助词) : 앞의 말이 뒤의 말에 대하여 소유, 소속, 소재, 관계, 기원, 주체의 관계를 가짐을 나타내는 조사.
的
表示所有、所属、所在、关系、来源、主体等关系。

마음 (名词) : 기분이나 느낌.
心情，心绪
情绪或感受。

을 (助词) : 동작이 직접적으로 영향을 미치는 대상을 나타내는 조사.
无对应词汇
表示动作直接涉及的对象。

지금+부터 전하+[여 주]+어 너+의 사랑+을.
전해 줘

지금 (名词) : 말을 하고 있는 바로 이때.
现在
指正在说话的此时。

부터 (助词) : 어떤 일의 시작이나 처음을 나타내는 조사.
从
表示某事的开始或起始。

전하다 (动词) : 어떤 소식, 생각 등을 상대에게 알리다.
转达
将消息、想法等告知对方。

-여 주다 (表达) : 남을 위해 앞의 말이 나타내는 행동을 함을 나타내는 표현.
给
表示为别人做前面表达的行动。

-어 (语尾) : (두루낮춤으로) 어떤 사실을 서술하거나 물음, 명령, 권유를 나타내는 종결 어미.
无对应词汇
(普卑) 表示陈述某种事实、询问、命令或劝说。**<命令>**

너 (代词) : 듣는 사람이 친구나 아랫사람일 때, 그 사람을 가리키는 말.
你
指代听者，用于朋友或晚辈。

의 (助词) : 앞의 말이 뒤의 말에 대하여 소유, 소속, 소재, 관계, 기원, 주체의 관계를 가짐을 나타내는 조사.
的
表示所有、所属、所在、关系、来源、主体等关系。

사랑 (名词) : 아끼고 소중히 여겨 정성을 다해 위하는 마음.
疼爱，关爱
爱护珍惜并真诚相待的心。

을 (助词) : 동작이 직접적으로 영향을 미치는 대상을 나타내는 조사.
无对应词汇
表示动作直接涉及的对象。

아 야 어 여 오 요 우 유 으 이

가 나 다 라 마 바 사 아 자 차 카 타 파 하

모음 스물하나+에 자음 열아홉+을 더하+여

더해

모음 (名词) : 사람이 목청을 울려 내는 소리로, 공기의 흐름이 방해를 받지 않고 나는 소리.
元音，母音
提高嗓门且气流不受阻碍发出的声音。

스물하나 : 21

에 (助词) : 앞말에 무엇이 더해짐을 나타내는 조사.
无对应词汇
表示添加某物。

자음 (名词) : 목, 입, 혀 등의 발음 기관에 의해 장애를 받으며 나는 소리.
子音，辅音
喉咙、嘴、舌等发音器官受阻发出的声音。

열아홉 : 19

을 (助词) : 동작 대상의 수량이나 동작의 순서를 나타내는 조사.
无对应词汇
表示动作对象的数量或动作的顺序。

더하다 (动词) : 보태어 늘리거나 많게 하다.
加，加上
添补使增加或变多。

-여 (语尾) : 앞의 말이 뒤의 말보다 먼저 일어났거나 뒤의 말에 대한 방법이나 수단이 됨을 나타내는 연결 어미.
无对应词汇
表示前句先于后句发生，或表示前句是后句的方法或手段。

마흔 가지 소리+로 세상+을 느끼+[어 보]+아.
느껴 봐

마흔 (冠形词) : 열의 네 배가 되는 수의.
四十
十的四倍数的。

가지 (名词) : 사물의 종류를 헤아리는 말.
种，项，类别，个
表示事物种类的数量单位。

소리 (名词) : 물체가 진동하여 생긴 음파가 귀에 들리는 것.
声音，声，音，动静
物体震动发出的音波传入耳朵中产生的响声。

로 (助词) : 어떤 일의 수단이나 도구를 나타내는 조사.
无对应词汇
表示某事的手段或工具。

세상 (名词) : 지구 위 전체.
天下，世界
地球上的全部。

을 (助词) : 동작이 직접적으로 영향을 미치는 대상을 나타내는 조사.
无对应词汇
表示动作直接涉及的对象。

느끼다 (动词) : 특정한 대상이나 상황을 어떻다고 생각하거나 인식하다.
认为，觉得，感到
感觉或认识到特定的对象或情况如何。

-어 보다 (表达) : 앞의 말이 나타내는 행동을 시험 삼아 함을 나타내는 표현.

无对应词汇

表示试着做前面所指的行动。

-아 (语尾) : (두루낮춤으로) 어떤 사실을 서술하거나 물음, 명령, 권유를 나타내는 종결 어미.

无对应词汇

(普卑) 表示陈述、询问、命令或劝说某种事实。**<命令>**

< 2 >

과일송

과일(水果) 송(歌)

[발음(发音)]

< 1 절(节) >

맛있는 과일 과일 과일
마신는 과일 과일 과일
masinneun gwail gwail gwail

아삭아삭 과일 과일
아삭아삭 과일 과일
asagasak gwail gwail

먹고 싶어 과일 과일
먹꼬 시퍼 과일 과일
meokgo sipeo gwail gwail

빨간색 딸기 사과 앵두
빨간색 딸기 사과 앵두
ppalgansaek ttalgi sagwa aengdu

노란색 참외 레몬 망고
노란색 참외 레몬 망고
noransaek chamoe remon manggo

초록색 수박 매실 멜론
초록쌕 수박 매실 멜론
choroksaek subak maesil mellon

보라색 포도 자두 오디
보라색 포도 자두 오디
borasaek podo jadu odi

맛이 어때요?
마시 어때요?
masi eottaeyo?

달아요 달아요 달아요
다라요 다라요 다라요
darayo darayo darayo

맛이 어때요?
마시 어때요?
masi eottaeyo?

달콤해 달콤해 달콤해
달콤해 달콤해 달콤해
dalkomhae dalkomhae dalkomhae

어때요? 어때요?
어때요? 어때요?
eottaeyo? eottaeyo?

달아요 셔요 달콤해 새콤해
다라요 셔요 달콤해 새콤해
darayo syeoyo dalkomhae saekomhae

< 2 절(节) >

맛있는 과일 과일 과일
마신는 과일 과일 과일
masinneun gwail gwail gwail

아삭아삭 과일 과일
아삭아삭 과일 과일
asagasak gwail gwail

먹고 싶어 과일 과일
먹꼬 시퍼 과일 과일
meokgo sipeo gwail gwail

빨간색 딸기 사과 앵두
빨간색 딸기 사과 앵두
ppalgansaek ttalgi sagwa aengdu

노란색 참외 레몬 망고
노란색 참외 레몬 망고
noransaek chamoe remon manggo

초록색 수박 매실 멜론
초록쌕 수박 매실 멜론
choroksaek subak maesil mellon

보라색 포도 자두 오디
보라색 포도 자두 오디
borasaek podo jadu odi

맛이 어때요?
마시 어때요?
masi eottaeyo?

셔요 셔요 셔요
셔요 셔요 셔요
syeoyo syeoyo syeoyo

맛이 어때요?
마시 어때요?
masi eottaeyo?

새콤해 새콤해 새콤해
새콤해 새콤해 새콤해
saekomhae saekomhae saekomhae

어때요? 어때요?
어때요? 어때요?
eottaeyo? eottaeyo?

달아요 셔요 달콤해 새콤해
다라요 셔요 달콤해 새콤해
darayo syeoyo dalkomhae saekomhae

맛있는 과일 과일 과일
마신는 과일 과일 과일
masinneun gwail gwail gwail

아삭아삭 과일 과일
아삭아삭 과일 과일
asagasak gwail gwail

먹고 싶어 과일 과일
먹꼬 시퍼 과일 과일
meokgo sipeo gwail gwail

맛있는 과일 과일 과일
마신는 과일 과일 과일
masinneun gwail gwail gwail

아삭아삭 과일 과일
아삭아삭 과일 과일
asagasak gwail gwail

먹고 싶어 과일 과일
먹꼬 시퍼 과일 과일
meokgo sipeo gwail gwail

먹고 싶어 과일 과일
먹꼬 시퍼 과일 과일
meokgo sipeo gwail gwail

< 1 절(节) >

맛있+는 과일 과일 과일.

맛있다 (形容词) : 맛이 좋다.
好吃，可口，香
食物的味道好。

-는 (语尾) : 앞의 말이 관형어의 기능을 하게 만들고 사건이나 동작이 현재 일어남을 나타내는 어미.
无对应词汇
使前面的词具有定语功能，表示事件或动作现在正在发生。

과일 (名词) : 사과, 배, 포도, 밤 등과 같이 나뭇가지나 줄기에 열리는 먹을 수 있는 열매.
水果
苹果、梨、葡萄、栗子等主要长在树上的，人们可以食用的果子。

아삭아삭 과일 과일.

아삭아삭 (副词) : 연하고 싱싱한 과일이나 채소를 베어 물 때 나는 소리.
脆脆地，清脆地
咬着吃柔嫩而新鲜的水果或蔬菜时发出的声音。

과일 (名词) : 사과, 배, 포도, 밤 등과 같이 나뭇가지나 줄기에 열리는 먹을 수 있는 열매.
水果
苹果、梨、葡萄、栗子等主要长在树上的，人们可以食用的果子。

먹+[고 싶]+어, 과일 과일.

먹다 (动词) : 음식 등을 입을 통하여 배 속에 들여보내다.
吃
将食物送进口中并咽下。

-고 싶다 (表达) : 앞의 말이 나타내는 행동을 하기를 원함을 나타내는 표현.
想，要
表示有做前面行动的意愿。

-어 (语尾) : (두루낮춤으로) 어떤 사실을 서술하거나 물음, 명령, 권유를 나타내는 종결 어미.
无对应词汇
(普卑) 表示陈述某种事实、询问、命令或劝说。**<叙述>**

과일 (名词) : 사과, 배, 포도, 밤 등과 같이 나뭇가지나 줄기에 열리는 먹을 수 있는 열매.
水果
苹果、梨、葡萄、栗子等主要长在树上的，人们可以食用的果子。

빨간색 딸기 사과 앵두.

빨간색 (名词) : 흐르는 피나 잘 익은 사과, 고추처럼 붉은 색.
红色
像鲜血、熟透的苹果、辣椒般红红的颜色。

딸기 (名词) : 줄기가 땅 위로 뻗으며, 겉에 씨가 박혀 있는 빨간 열매가 열리는 여러해살이풀. 또는 그 열매.
草莓
茎匍匐在地面上伸展，结出红色果实，其籽镶嵌在其果实外表的多年生草本植物；或指其果实。

사과 (名词) : 모양이 둥글고 붉으며 새콤하고 단맛이 나는 과일.
苹果
圆而红、味道酸甜的水果。

앵두 (名词) : 모양이 작고 둥글며 달콤하면서 신맛을 지닌 붉은색 과일.
樱桃
样子小而圆，甜中带酸的红色水果。

노란색 참외 레몬 망고.

노란색 (名词) : 병아리나 바나나와 같은 색.
黄色，鹅黄色，嫩黄色
与小鸡或香蕉相同的颜色。

참외 (名词) : 색이 노랗고 단맛이 나며 주로 여름에 먹는 열매.
香瓜，甜瓜
一种主要在夏天吃的果实，色黄味甜。

레몬 (名词) : 신맛이 강하고 새콤한 향기가 나는 타원형의 노란색 열매.
柠檬
酸味强，散发酸香味的椭圆形黄色果实。

망고 (名词) : 타원형에 과육이 노랗고 부드러우며 단맛이 나는 열대 과일.
芒果
一种热带水果。呈椭圆形，黄色果肉柔软、味甜。

초록색 수박 매실 멜론.

초록색 (名词) : 파랑과 노랑의 중간인, 짙은 풀과 같은 색.
草绿色
一种和深色的草一样的颜色，介于蓝色和黄色之间。

수박 (名词) : 둥글고 크며 초록 빛깔에 검푸른 줄무늬가 있으며 속이 붉고 수분이 많은 과일.
西瓜
一种又圆又大的水果，果皮呈绿色，并有蓝黑色条纹，果肉呈红色，且多汁。

매실 (名词) : 달고 신맛이 나며 술이나 음료 등을 만들어 먹는 초록색의 둥근 열매.
梅子
其味道酸甜，可以酿酒或做成饮料的草绿色圆形果实。

멜론 (名词) : 동그랗고 보통 녹색이며 겉에 그물 모양의 무늬가 있는, 향기가 좋고 단맛이 나는 과일.
甜瓜
通常呈绿色、表层上有网状花纹、散发香气的香甜的圆形水果。

보라색 포도 자두 오디.

보라색 (名词) : 파랑과 빨강을 섞은 색.
紫色
蓝色和红色混合而成的颜色。

포도 (名词) : 달면서도 약간 신맛이 나는 작은 열매가 뭉쳐서 송이를 이루는 보라색 과일.
葡萄
由甜美而微酸的小果实结成一串的紫色水果。

자두 (名词) : 살구보다 조금 크고 새콤하고 달콤한 맛이 나는 붉은색 과일.
李子
比杏稍微大一些，酸甜味的红色水果。

오디 (名词) : 뽕나무의 열매.
桑葚
桑树的果实。

맛+이 어떻+어요?
어때요

맛 (名词) : 음식 등을 혀에 댈 때 느껴지는 감각.
味，味道
用舌头接触食物等时得到的感觉。

이 (助词) : 어떤 상태나 상황의 대상이나 동작의 주체를 나타내는 조사.
无对应词汇
表示行为的主体或状态描述的对象。

어떻다 (形容词) : 생각, 느낌, 상태, 형편 등이 어찌 되어 있다.
怎么样
想法、感觉、状态或境况等成为什么状况。

-어요 (语尾) : (두루높임으로) 어떤 사실을 서술하거나 질문, 명령, 권유함을 나타내는 종결 어미.
无对应词汇
(普尊) 表示叙述某个事实，或提问、命令、劝说。**<提问>**

달+아요. 달+아요. 달+아요.

달다 (形容词) : 꿀이나 설탕의 맛과 같다.
甜，甘甜
与蜂蜜或糖的味道相似。

-아요 (语尾) : (두루높임으로) 어떤 사실을 서술하거나 질문, 명령, 권유함을 나타내는 종결 어미.
无对应词汇
(普尊) 表示叙述某个事实，或提问、命令、劝说。**<叙述>**

맛+이 어떻+어요?
어때요

맛 (名词) : 음식 등을 혀에 댈 때 느껴지는 감각.
味，味道
用舌头接触食物等时得到的感觉。

이 (助词) : 어떤 상태나 상황의 대상이나 동작의 주체를 나타내는 조사.
无对应词汇
表示行为的主体或状态描述的对象。

어떻다 (形容词) : 생각, 느낌, 상태, 형편 등이 어찌 되어 있다.
怎么样
想法、感觉、状态或境况等成为什么状况。

-어요 (语尾) : (두루높임으로) 어떤 사실을 서술하거나 질문, 명령, 권유함을 나타내는 종결 어미.
无对应词汇
(普尊) 表示叙述某个事实，或提问、命令、劝说。**<提问>**

달콤하+여. 달콤하+여. 달콤하+여.
달콤해 달콤해 달콤해

달콤하다 (形容词) : 맛이나 냄새가 기분 좋게 달다.
香甜
味道或气味甜得令人开心。

-여 (语尾) : (두루낮춤으로) 어떤 사실을 서술하거나 물음, 명령, 권유를 나타내는 종결 어미.
无对应词汇
(普卑) 表示陈述某种事实、询问、命令或劝说。**<叙述>**

어떻+어요? 어떻+어요?
어때요 어때요

어떻다 (形容词) : 생각, 느낌, 상태, 형편 등이 어찌 되어 있다.
怎么样
想法、感觉、状态或境况等成为什么状况。

-어요 (语尾) : (두루높임으로) 어떤 사실을 서술하거나 질문, 명령, 권유함을 나타내는 종결 어미.
无对应词汇
(普尊) 表示叙述某个事实，或提问、命令、劝说。**<提问>**

달+아요. 시+어요. 달콤하+여. 새콤하+여.
셔요 달콤해 새콤해

달다 (形容词) : 꿀이나 설탕의 맛과 같다.
甜，甘甜
与蜂蜜或糖的味道相似。

-아요 (语尾) : (두루높임으로) 어떤 사실을 서술하거나 질문, 명령, 권유함을 나타내는 종결 어미.
无对应词汇
(普尊) 表示叙述某个事实，或提问、命令、劝说。**<叙述>**

시다 (形容词) : 맛이 식초와 같다.
酸
味道跟醋一样。

-어요 (语尾) : (두루높임으로) 어떤 사실을 서술하거나 질문, 명령, 권유함을 나타내는 종결 어미.
无对应词汇
(普尊) 表示叙述某个事实，或提问、命令、劝说。**<叙述>**

달콤하다 (形容词) : 맛이나 냄새가 기분 좋게 달다.
香甜
味道或气味甜得令人开心。

-여 (语尾) : (두루낮춤으로) 어떤 사실을 서술하거나 물음, 명령, 권유를 나타내는 종결 어미.
无对应词汇
(普卑) 表示陈述某种事实、询问、命令或劝说。**<叙述>**

새콤하다 (形容词) : 맛이 조금 시면서 상큼하다.
酸溜溜
味道略酸而爽口。

-여 (语尾) : (두루낮춤으로) 어떤 사실을 서술하거나 물음, 명령, 권유를 나타내는 종결 어미.
无对应词汇
(普卑) 表示陈述某种事实、询问、命令或劝说。**<叙述>**

< 2 절(节) >

맛있+는 과일 과일 과일.

맛있다 (形容词) : 맛이 좋다.
好吃，可口，香
食物的味道好。

-는 (语尾) : 앞의 말이 관형어의 기능을 하게 만들고 사건이나 동작이 현재 일어남을 나타내는 어미.
无对应词汇
使前面的词具有定语功能，表示事件或动作现在正在发生。

과일 (名词) : 사과, 배, 포도, 밤 등과 같이 나뭇가지나 줄기에 열리는 먹을 수 있는 열매.
水果
苹果、梨、葡萄、栗子等主要长在树上的，人们可以食用的果子。

아삭아삭 과일 과일.

아삭아삭 (副词) : 연하고 싱싱한 과일이나 채소를 베어 물 때 나는 소리.
脆脆地，清脆地
咬着吃柔嫩而新鲜的水果或蔬菜时发出的声音。

과일 (名词) : 사과, 배, 포도, 밤 등과 같이 나뭇가지나 줄기에 열리는 먹을 수 있는 열매.
水果
苹果、梨、葡萄、栗子等主要长在树上的，人们可以食用的果子。

먹+[고 싶]+어, 과일 과일.

먹다 (动词) : 음식 등을 입을 통하여 배 속에 들여보내다.
吃
将食物送进口中并咽下。

-고 싶다 (表达) : 앞의 말이 나타내는 행동을 하기를 원함을 나타내는 표현.
想，要
表示有做前面行动的意愿。

-어 (语尾) : (두루낮춤으로) 어떤 사실을 서술하거나 물음, 명령, 권유를 나타내는 종결 어미.
无对应词汇
(普卑) 表示陈述某种事实、询问、命令或劝说。**<叙述>**

과일 (名词) : 사과, 배, 포도, 밤 등과 같이 나뭇가지나 줄기에 열리는 먹을 수 있는 열매.
水果
苹果、梨、葡萄、栗子等主要长在树上的，人们可以食用的果子。

빨간색 딸기 사과 앵두.

빨간색 (名词) : 흐르는 피나 잘 익은 사과, 고추처럼 붉은 색.
红色
像鲜血、熟透的苹果、辣椒般红红的颜色。

딸기 (名词) : 줄기가 땅 위로 뻗으며, 겉에 씨가 박혀 있는 빨간 열매가 열리는 여러해살이풀. 또는 그 열매.
草莓
茎匍匐在地面上伸展，结出红色果实，其籽镶嵌在其果实外表的多年生草本植物；或指其果实。

사과 (名词) : 모양이 둥글고 붉으며 새콤하고 단맛이 나는 과일.
苹果
圆而红、味道酸甜的水果。

앵두 (名词) : 모양이 작고 둥글며 달콤하면서 신맛을 지닌 붉은색 과일.
樱桃
样子小而圆，甜中带酸的红色水果。

노란색 참외 레몬 망고.

노란색 (名词) : 병아리나 바나나와 같은 색.
黄色，鹅黄色，嫩黄色
与小鸡或香蕉相同的颜色。

참외 (名词) : 색이 노랗고 단맛이 나며 주로 여름에 먹는 열매.
香瓜，甜瓜
一种主要在夏天吃的果实，色黄味甜。

레몬 (名词) : 신맛이 강하고 새콤한 향기가 나는 타원형의 노란색 열매.
柠檬
酸味强，散发酸香味的椭圆形黄色果实。

망고 (名词) : 타원형에 과육이 노랗고 부드러우며 단맛이 나는 열대 과일.
芒果
一种热带水果。呈椭圆形，黄色果肉柔软、味甜。

초록색 수박 매실 멜론.

초록색 (名词) : 파랑과 노랑의 중간인, 짙은 풀과 같은 색.
草绿色
一种和深色的草一样的颜色，介于蓝色和黄色之间。

수박 (名词) : 둥글고 크며 초록 빛깔에 검푸른 줄무늬가 있으며 속이 붉고 수분이 많은 과일.
西瓜
一种又圆又大的水果，果皮呈绿色，并有蓝黑色条纹，果肉呈红色，且多汁。

매실 (名词) : 달고 신맛이 나며 술이나 음료 등을 만들어 먹는 초록색의 둥근 열매.
梅子
其味道酸甜，可以酿酒或做成饮料的草绿色圆形果实。

멜론 (名词) : 동그랗고 보통 녹색이며 겉에 그물 모양의 무늬가 있는, 향기가 좋고 단맛이 나는 과일.
甜瓜
通常呈绿色、表层上有网状花纹、散发香气的香甜的圆形水果。

보라색 포도 자두 오디.

보라색 (名词) : 파랑과 빨강을 섞은 색.
紫色
蓝色和红色混合而成的颜色。

포도 (名词) : 달면서도 약간 신맛이 나는 작은 열매가 뭉쳐서 송이를 이루는 보라색 과일.
葡萄
由甜美而微酸的小果实结成一串的紫色水果。

자두 (名词) : 살구보다 조금 크고 새콤하고 달콤한 맛이 나는 붉은색 과일.
李子
比杏稍微大一些，酸甜味的红色水果。

오디 (名词) : 뽕나무의 열매.
桑葚
桑树的果实。

맛+이 어떻+어요?
어때요

맛 (名词) : 음식 등을 혀에 댈 때 느껴지는 감각.
味，味道
用舌头接触食物等时得到的感觉。

이 (助词) : 어떤 상태나 상황의 대상이나 동작의 주체를 나타내는 조사.
无对应词汇
表示行为的主体或状态描述的对象。

어떻다 (形容词) : 생각, 느낌, 상태, 형편 등이 어찌 되어 있다.
怎么样
想法、感觉、状态或境况等成为什么状况。

-어요 (语尾) : (두루높임으로) 어떤 사실을 서술하거나 질문, 명령, 권유함을 나타내는 종결 어미.
无对应词汇
(普尊) 表示叙述某个事实，或提问、命令、劝说。**<提问>**

시+어요. 시+어요. 시+어요.
셔요 셔요 셔요

시다 (形容词) : 맛이 식초와 같다.
酸
味道跟醋一样。

-어요 (语尾) : (두루높임으로) 어떤 사실을 서술하거나 질문, 명령, 권유함을 나타내는 종결 어미.
无对应词汇
(普尊) 表示叙述某个事实，或提问、命令、劝说。**<叙述>**

맛+이 어떻+어요?
어때요

맛 (名词) : 음식 등을 혀에 댈 때 느껴지는 감각.
味，味道
用舌头接触食物等时得到的感觉。

이 (助词) : 어떤 상태나 상황의 대상이나 동작의 주체를 나타내는 조사.
无对应词汇
表示行为的主体或状态描述的对象。

어떻다 (形容词) : 생각, 느낌, 상태, 형편 등이 어찌 되어 있다.
怎么样
想法、感觉、状态或境况等成为什么状况。

-어요 (语尾) : (두루높임으로) 어떤 사실을 서술하거나 질문, 명령, 권유함을 나타내는 종결 어미.
无对应词汇
(普尊) 表示叙述某个事实，或提问、命令、劝说。**<提问>**

<u>새콤하+여</u>. <u>새콤하+여</u>. <u>새콤하+여</u>.
새콤해 새콤해 새콤해

새콤하다 (形容词) : 맛이 조금 시면서 상큼하다.
酸溜溜
味道略酸而爽口。

-여 (语尾) : (두루낮춤으로) 어떤 사실을 서술하거나 물음, 명령, 권유를 나타내는 종결 어미.
无对应词汇
(普卑) 表示陈述某种事实、询问、命令或劝说。**<叙述>**

<u>어떻+어요</u>? <u>어떻+어요</u>?
어때요 어때요

어떻다 (形容词) : 생각, 느낌, 상태, 형편 등이 어찌 되어 있다.
怎么样
想法、感觉、状态或境况等成为什么状况。

-어요 (语尾) : (두루높임으로) 어떤 사실을 서술하거나 질문, 명령, 권유함을 나타내는 종결 어미.
无对应词汇
(普尊) 表示叙述某个事实，或提问、命令、劝说。**<提问>**

달+아요. 시+어요. 달콤하+여. 새콤하+여.

셔요 달콤해 새콤해

달다 (形容词) : 꿀이나 설탕의 맛과 같다.
甜，甘甜
与蜂蜜或糖的味道相似。

-아요 (语尾) : (두루높임으로) 어떤 사실을 서술하거나 질문, 명령, 권유함을 나타내는 종결 어미.
无对应词汇
(普尊) 表示叙述某个事实，或提问、命令、劝说。**<叙述>**

시다 (形容词) : 맛이 식초와 같다.
酸
味道跟醋一样。

-어요 (语尾) : (두루높임으로) 어떤 사실을 서술하거나 질문, 명령, 권유함을 나타내는 종결 어미.
无对应词汇
(普尊) 表示叙述某个事实，或提问、命令、劝说。**<叙述>**

달콤하다 (形容词) : 맛이나 냄새가 기분 좋게 달다.
香甜
味道或气味甜得令人开心。

-여 (语尾) : (두루낮춤으로) 어떤 사실을 서술하거나 물음, 명령, 권유를 나타내는 종결 어미.
无对应词汇
(普卑) 表示陈述某种事实、询问、命令或劝说。**<叙述>**

새콤하다 (形容词) : 맛이 조금 시면서 상큼하다.
酸溜溜
味道略酸而爽口。

-여 (语尾) : (두루낮춤으로) 어떤 사실을 서술하거나 물음, 명령, 권유를 나타내는 종결 어미.
无对应词汇
(普卑) 表示陈述某种事实、询问、命令或劝说。**<叙述>**

맛있+는 과일 과일 과일.

맛있다 (形容词) : 맛이 좋다.
好吃，可口，香
食物的味道好。

-는 (语尾) : 앞의 말이 관형어의 기능을 하게 만들고 사건이나 동작이 현재 일어남을 나타내는 어미.
无对应词汇
使前面的词具有定语功能，表示事件或动作现在正在发生。

과일 (名词) : 사과, 배, 포도, 밤 등과 같이 나뭇가지나 줄기에 열리는 먹을 수 있는 열매.
水果
苹果、梨、葡萄、栗子等主要长在树上的，人们可以食用的果子。

아삭아삭 과일 과일.

아삭아삭 (副词) : 연하고 싱싱한 과일이나 채소를 베어 물 때 나는 소리.
脆脆地，清脆地
咬着吃柔嫩而新鲜的水果或蔬菜时发出的声音。

과일 (名词) : 사과, 배, 포도, 밤 등과 같이 나뭇가지나 줄기에 열리는 먹을 수 있는 열매.
水果
苹果、梨、葡萄、栗子等主要长在树上的，人们可以食用的果子。

먹+[고 싶]+어, 과일 과일.

먹다 (动词) : 음식 등을 입을 통하여 배 속에 들여보내다.
吃
将食物送进口中并咽下。

-고 싶다 (表达) : 앞의 말이 나타내는 행동을 하기를 원함을 나타내는 표현.
想，要
表示有做前面行动的意愿。

-어 (语尾) : (두루낮춤으로) 어떤 사실을 서술하거나 물음, 명령, 권유를 나타내는 종결 어미.
无对应词汇
(普卑) 表示陈述某种事实、询问、命令或劝说。**<叙述>**

과일 (名词) : 사과, 배, 포도, 밤 등과 같이 나뭇가지나 줄기에 열리는 먹을 수 있는 열매.
水果
苹果、梨、葡萄、栗子等主要长在树上的，人们可以食用的果子。

맛있+는 과일 과일 과일.

맛있다 (形容词) : 맛이 좋다.
好吃，可口，香
食物的味道好。

-는 (语尾) : 앞의 말이 관형어의 기능을 하게 만들고 사건이나 동작이 현재 일어남을 나타내는 어미.
无对应词汇
使前面的词具有定语功能，表示事件或动作现在正在发生。

과일 (名词) : 사과, 배, 포도, 밤 등과 같이 나뭇가지나 줄기에 열리는 먹을 수 있는 열매.
水果
苹果、梨、葡萄、栗子等主要长在树上的，人们可以食用的果子。

아삭아삭 과일 과일.

아삭아삭 (副词) : 연하고 싱싱한 과일이나 채소를 베어 물 때 나는 소리.
脆脆地，清脆地
咬着吃柔嫩而新鲜的水果或蔬菜时发出的声音。

과일 (名词) : 사과, 배, 포도, 밤 등과 같이 나뭇가지나 줄기에 열리는 먹을 수 있는 열매.
水果
苹果、梨、葡萄、栗子等主要长在树上的，人们可以食用的果子。

먹+[고 싶]+어, 과일 과일.

먹다 (动词) : 음식 등을 입을 통하여 배 속에 들여보내다.
吃
将食物送进口中并咽下。

-고 싶다 (表达) : 앞의 말이 나타내는 행동을 하기를 원함을 나타내는 표현.
想，要
表示有做前面行动的意愿。

-어 (语尾) : (두루낮춤으로) 어떤 사실을 서술하거나 물음, 명령, 권유를 나타내는 종결 어미.
无对应词汇
(普卑) 表示陈述某种事实、询问、命令或劝说。**<叙述>**

과일 (名词) : 사과, 배, 포도, 밤 등과 같이 나뭇가지나 줄기에 열리는 먹을 수 있는 열매.
水果
苹果、梨、葡萄、栗子等主要长在树上的，人们可以食用的果子。

먹+[고 싶]+어, 과일 과일.

먹다 (动词) : 음식 등을 입을 통하여 배 속에 들여보내다.
吃
将食物送进口中并咽下。

-고 싶다 (表达) : 앞의 말이 나타내는 행동을 하기를 원함을 나타내는 표현.
想，要
表示有做前面行动的意愿。

-어 (语尾) : (두루낮춤으로) 어떤 사실을 서술하거나 물음, 명령, 권유를 나타내는 종결 어미.
无对应词汇
(普卑) 表示陈述某种事实、询问、命令或劝说。**<叙述>**

과일 (名词) : 사과, 배, 포도, 밤 등과 같이 나뭇가지나 줄기에 열리는 먹을 수 있는 열매.
水果
苹果、梨、葡萄、栗子等主要长在树上的，人们可以食用的果子。

< 3 >

신체송

신체(身体) 송(歌)

[발음(发音)]

< 1 절(节) >

머리, 어깨, 무릎, 발, 무릎, 발, 머리, 어깨, 무릎, 발, 무릎, 발
머리, 어깨, 무릅, 발, 무릅, 발, 머리, 어깨, 무릅, 발, 무릅, 발
meori, eokkae, mureup, bal, mureup, bal, meori, eokkae, mureup, bal, mureup, bal

머리, 어깨, 무릎, 발, 머리, 어깨, 무릎, 발
머리, 어깨, 무릅, 발, 머리, 어깨, 무릅, 발
meori, eokkae, mureup, bal, meori, eokkae, mureup, bal

머리, 어깨, 무릎, 발, 머리, 어깨, 무릎, 발
머리, 어깨, 무릅, 발, 머리, 어깨, 무릅, 발
meori, eokkae, mureup, bal, meori, eokkae, mureup, bal

머리, 머리, 머리카락
머리, 머리, 머리카락
meori, meori, meorikarak

얼굴, 얼굴, 얼굴, 이마
얼굴, 얼굴, 얼굴, 이마
eolgul, eolgul, eolgul, ima

눈, 코, 입, 귀, 눈, 코, 입, 귀
눈, 코, 입, 귀, 눈, 코, 입, 귀
nun, ko, ip, gwi, nun, ko, ip, gwi

머리, 머리, 머리카락
머리, 머리, 머리카락
meori, meori, meorikarak

얼굴, 얼굴, 얼굴, 이마
얼굴, 얼굴, 얼굴, 이마
eolgul, eolgul, eolgul, ima

눈, 코, 입, 귀, 눈, 코, 입, 귀
눈, 코, 입, 귀, 눈, 코, 입, 귀
nun, ko, ip, gwi, nun, ko, ip, gwi

신나게 흔들어요
신나게 흔드러요
sinnage heundeureoyo

다 함께 춤을 춰요
다 함께 추믈 춰요
da hamkke chumeul chwoyo

즐겁게 흔들어요
즐겁께 흔드러요
jeulgeopge heundeureoyo

우리 모두 춤을 춰요
우리 모두 추믈 춰요
uri modu chumeul chwoyo

< 2 절(节) >

머리, 어깨, 무릎, 발, 무릎, 발, 머리, 어깨, 무릎, 발, 무릎, 발
머리, 어깨, 무릅, 발, 무릅, 발, 머리, 어깨, 무릅, 발, 무릅, 발
meori, eokkae, mureup, bal, mureup, bal, meori, eokkae, mureup, bal, mureup, bal

머리, 어깨, 무릎, 발, 머리, 어깨, 무릎, 발
머리, 어깨, 무릅, 발, 머리, 어깨, 무릅, 발
meori, eokkae, mureup, bal, meori, eokkae, mureup, bal

팔, 팔, 팔, 손
팔, 팔, 팔, 손
pal, pal, pal, son

다리, 다리, 다리, 발
다리, 다리, 다리, 발
dari, dari, dari, bal

가슴, 허리, 엉덩이, 가슴, 허리, 엉덩이
가슴, 허리, 엉덩이, 가슴, 허리, 엉덩이
gaseum, heori, eongdeongi, gaseum, heori, eongdeongi

팔, 팔, 팔, 손
팔, 팔, 팔, 손
pal, pal, pal, son

다리, 다리, 다리, 발
다리, 다리, 다리, 발
dari, dari, dari, bal

가슴, 허리, 엉덩이, 가슴, 허리, 엉덩이
가슴, 허리, 엉덩이, 가슴, 허리, 엉덩이
gaseum, heori, eongdeongi, gaseum, heori, eongdeongi

신나게 흔들어요
신나게 흔드러요
sinnage heundeureoyo

다 함께 춤을 춰요
다 함께 추믈 춰요
da hamkke chumeul chwoyo

즐겁게 흔들어요
즐겁께 흔드러요
jeulgeopge heundeureoyo

우리 모두 춤을 춰요
우리 모두 추믈 춰요
uri modu chumeul chwoyo

< 3 절(节) >

머리, 어깨, 무릎, 발, 무릎, 발, 머리, 어깨, 무릎, 발, 무릎, 발
머리, 어깨, 무릅, 발, 무릅, 발, 머리, 어깨, 무릅, 발, 무릅, 발
meori, eokkae, mureup, bal, mureup, bal, meori, eokkae, mureup, bal, mureup, bal

머리, 어깨, 무릎, 발, 머리, 어깨, 무릎, 발
머리, 어깨, 무릅, 발, 머리, 어깨, 무릅, 발
meori, eokkae, mureup, bal, meori, eokkae, mureup, bal

< 1 절(节) >

머리, 어깨, 무릎, 발, 무릎, 발, 머리, 어깨, 무릎, 발, 무릎, 발

머리 (名词) : 사람이나 동물의 몸에서 얼굴과 머리털이 있는 부분을 모두 포함한 목 위의 부분.
头
在人或动物身体中，包括脸和头发的脖子以上的部分。

어깨 (名词) : 목의 아래 끝에서 팔의 위 끝에 이르는 몸의 부분.
肩，肩膀
从脖子下端到胳膊上端的身体的一部分。

무릎 (名词) : 허벅지와 종아리 사이에 앞쪽으로 둥글게 튀어나온 부분.
膝盖
大腿和小腿中间向前凸出的呈圆形的部分。

발 (名词) : 사람이나 동물의 다리 맨 끝부분.
足，脚
人或动物腿部的最末端部分。

머리, 어깨, 무릎, 발, 머리, 어깨, 무릎, 발

머리 (名词) : 사람이나 동물의 몸에서 얼굴과 머리털이 있는 부분을 모두 포함한 목 위의 부분.
头
在人或动物身体中，包括脸和头发的脖子以上的部分。

어깨 (名词) : 목의 아래 끝에서 팔의 위 끝에 이르는 몸의 부분.
肩，肩膀
从脖子下端到胳膊上端的身体的一部分。

무릎 (名词) : 허벅지와 종아리 사이에 앞쪽으로 둥글게 튀어나온 부분.
膝盖
大腿和小腿中间向前凸出的呈圆形的部分。

발 (名词) : 사람이나 동물의 다리 맨 끝부분.
足，脚
人或动物腿部的最末端部分。

머리, 어깨, 무릎, 발, 머리, 어깨, 무릎, 발

머리 (名词) : 사람이나 동물의 몸에서 얼굴과 머리털이 있는 부분을 모두 포함한 목 위의 부분.
头
在人或动物身体中，包括脸和头发的脖子以上的部分。

어깨 (名词) : 목의 아래 끝에서 팔의 위 끝에 이르는 몸의 부분.
肩，肩膀
从脖子下端到胳膊上端的身体的一部分。

무릎 (名词) : 허벅지와 종아리 사이에 앞쪽으로 둥글게 튀어나온 부분.
膝盖
大腿和小腿中间向前凸出的呈圆形的部分。

발 (名词) : 사람이나 동물의 다리 맨 끝부분.
足，脚
人或动物腿部的最末端部分。

머리, 머리, 머리카락

머리 (名词) : 사람이나 동물의 몸에서 얼굴과 머리털이 있는 부분을 모두 포함한 목 위의 부분.
头
在人或动物身体中，包括脸和头发的脖子以上的部分。

머리카락 (名词) : 머리털 하나하나.
发丝
一根根头发。

얼굴, 얼굴, 얼굴, 이마

얼굴 (名词) : 눈, 코, 입이 있는 머리의 앞쪽 부분.
脸，面孔，脸部
有眼睛、鼻子、嘴的头的前面部分。

이마 (名词) : 얼굴의 눈썹 위부터 머리카락이 난 아래까지의 부분.
额，前额，额头
指人脸眉毛以上、头发以下的部分。

눈, 코, 입, 귀, 눈, 코, 입, 귀

눈 (名词) : 사람이나 동물의 얼굴에 있으며 빛의 자극을 받아 물체를 볼 수 있는 감각 기관.
眼睛
人或动物的一种感觉器官，位于脸部，受光线刺激后能看到物体。

코 (名词) : 숨을 쉬고 냄새를 맡는 몸의 한 부분.
鼻，鼻子
用于呼吸、闻味儿的身体的一个部位。

입 (名词) : 음식을 먹고 소리를 내는 기관으로 입술에서 목구멍까지의 부분.
嘴，口
吃食物、发音的器官，指从嘴唇到喉咙的部分。

귀 (名词) : 사람이나 동물의 머리 양옆에 있어 소리를 듣는 몸의 한 부분.
耳，耳朵
长在人或动物头部两侧，可以听到声音的身体的一部分。

머리, 머리, 머리카락

머리 (名词) : 사람이나 동물의 몸에서 얼굴과 머리털이 있는 부분을 모두 포함한 목 위의 부분.
头
在人或动物身体中，包括脸和头发的脖子以上的部分。

머리카락 (名词) : 머리털 하나하나.
发丝
一根根头发。

얼굴, 얼굴, 얼굴, 이마

얼굴 (名词) : 눈, 코, 입이 있는 머리의 앞쪽 부분.
脸，面孔，脸部
有眼睛、鼻子、嘴的头的前面部分。

이마 (名词) : 얼굴의 눈썹 위부터 머리카락이 난 아래까지의 부분.
额，前额，额头
指人脸眉毛以上、头发以下的部分。

눈, 코, 입, 귀, 눈, 코, 입, 귀

눈 (名词) : 사람이나 동물의 얼굴에 있으며 빛의 자극을 받아 물체를 볼 수 있는 감각 기관.
眼睛
人或动物的一种感觉器官，位于脸部，受光线刺激后能看到物体。

코 (名词) : 숨을 쉬고 냄새를 맡는 몸의 한 부분.
鼻，鼻子
用于呼吸、闻味儿的身体的一个部位。

입 (名词) : 음식을 먹고 소리를 내는 기관으로 입술에서 목구멍까지의 부분.
嘴，口
吃食物、发音的器官，指从嘴唇到喉咙的部分。

귀 (名词) : 사람이나 동물의 머리 양옆에 있어 소리를 듣는 몸의 한 부분.
耳，耳朵
长在人或动物头部两侧，可以听到声音的身体的一部分。

신나+게 흔들+어요.

신나다 (动词) : 흥이 나고 기분이 아주 좋아지다.
兴高采烈，兴奋
来了兴致，心情变得非常好。

-게 (语尾) : 앞의 말이 뒤에서 가리키는 일의 목적이나 결과, 방식, 정도 등이 됨을 나타내는 연결 어미.
无对应词汇
表示前面的内容为后面所指事情的目的、结果、方式或程度等。**<方式>**

흔들다 (动词) : 무엇을 좌우, 앞뒤로 자꾸 움직이게 하다.
摇动，摇晃，挥动
使某物左右或前后摆动。

-어요 (语尾) : (두루높임으로) 어떤 사실을 서술하거나 질문, 명령, 권유함을 나타내는 종결 어미.
无对应词汇
(普尊) 表示叙述某个事实，或提问、命令、劝说。**<命令>**

다 함께 춤+을 추+어요.
춰요

다 (副词) : 남거나 빠진 것이 없이 모두.
全，都
一点不剩或不落下而全部。

함께 (副词) : 여럿이서 한꺼번에 같이.
一起，共同，与共
许多人一下子同时。

춤 (名词) : 음악이나 규칙적인 박자에 맞춰 몸을 움직이는 것.
舞蹈
随着音乐或节奏舞动身体。

을 (助词) : 서술어의 명사형 목적어임을 나타내는 조사.
无对应词汇
表示名词形谓词作宾语。

추다 (动词) : 춤 동작을 하다.
跳
做跳舞动作。

-어요 (语尾) : (두루높임으로) 어떤 사실을 서술하거나 질문, 명령, 권유함을 나타내는 종결 어미.
无对应词汇
(普尊) 表示叙述某个事实，或提问、命令、劝说。**<命令>**

즐겁+게 흔들+어요.

즐겁다 (形容词) : 마음에 들어 흐뭇하고 기쁘다.
愉快，欢乐，欢快
内心满意、满足且快乐。

-게 (语尾) : 앞의 말이 뒤에서 가리키는 일의 목적이나 결과, 방식, 정도 등이 됨을 나타내는 연결 어미.
无对应词汇
表示前面的内容为后面所指事情的目的、结果、方式或程度等。**<方式>**

흔들다 (动词) : 무엇을 좌우, 앞뒤로 자꾸 움직이게 하다.
摇动，摇晃，挥动
使某物左右或前后摆动。

-어요 (语尾) : (두루높임으로) 어떤 사실을 서술하거나 질문, 명령, 권유함을 나타내는 종결 어미.
无对应词汇
(普尊) 表示叙述某个事实，或提问、命令、劝说。**<命令>**

우리 모두 춤+을 추+어요.
춰요

우리 (代词) : 말하는 사람이 자기와 듣는 사람 또는 이를 포함한 여러 사람들을 가리키는 말.
我们，咱们
说话人指代自己和听话人在内的一些人。

모두 (副词) : 빠짐없이 다.
都，全
一个不漏，全都。

춤 (名词) : 음악이나 규칙적인 박자에 맞춰 몸을 움직이는 것.
舞蹈
随着音乐或节奏舞动身体。

을 (助词) : 서술어의 명사형 목적어임을 나타내는 조사.
无对应词汇
表示名词形谓词作宾语。

추다 (动词) : 춤 동작을 하다.
跳
做跳舞动作。

-어요 (语尾) : (두루높임으로) 어떤 사실을 서술하거나 질문, 명령, 권유함을 나타내는 종결 어미.
无对应词汇
(普尊) 表示叙述某个事实，或提问、命令、劝说。**<命令>**

< 2 절(节) >

머리, 어깨, 무릎, 발, 무릎, 발, 머리, 어깨, 무릎, 발, 무릎, 발

머리 (名词) : 사람이나 동물의 몸에서 얼굴과 머리털이 있는 부분을 모두 포함한 목 위의 부분.
头
在人或动物身体中，包括脸和头发的脖子以上的部分。

어깨 (名词) : 목의 아래 끝에서 팔의 위 끝에 이르는 몸의 부분.
肩，肩膀
从脖子下端到胳膊上端的身体的一部分。

무릎 (名词) : 허벅지와 종아리 사이에 앞쪽으로 둥글게 튀어나온 부분.
膝盖
大腿和小腿中间向前凸出的呈圆形的部分。

발 (名词) : 사람이나 동물의 다리 맨 끝부분.
足，脚
人或动物腿部的最末端部分。

머리, 어깨, 무릎, 발, 머리, 어깨, 무릎, 발

머리 (名词) : 사람이나 동물의 몸에서 얼굴과 머리털이 있는 부분을 모두 포함한 목 위의 부분.
头
在人或动物身体中，包括脸和头发的脖子以上的部分。

어깨 (名词) : 목의 아래 끝에서 팔의 위 끝에 이르는 몸의 부분.
肩，肩膀
从脖子下端到胳膊上端的身体的一部分。

무릎 (名词) : 허벅지와 종아리 사이에 앞쪽으로 둥글게 튀어나온 부분.
膝盖
大腿和小腿中间向前凸出的呈圆形的部分。

발 (名词) : 사람이나 동물의 다리 맨 끝부분.
足，脚
人或动物腿部的最末端部分。

머리, 어깨, 무릎, 발, 머리, 어깨, 무릎, 발

머리 (名词) : 사람이나 동물의 몸에서 얼굴과 머리털이 있는 부분을 모두 포함한 목 위의 부분.
头
在人或动物身体中，包括脸和头发的脖子以上的部分。

어깨 (名词) : 목의 아래 끝에서 팔의 위 끝에 이르는 몸의 부분.
肩，肩膀
从脖子下端到胳膊上端的身体的一部分。

무릎 (名词) : 허벅지와 종아리 사이에 앞쪽으로 둥글게 튀어나온 부분.
膝盖
大腿和小腿中间向前凸出的呈圆形的部分。

발 (名词) : 사람이나 동물의 다리 맨 끝부분.
足，脚
人或动物腿部的最末端部分。

팔, 팔, 팔, 손

팔 (名词) : 어깨에서 손목까지의 신체 부위.
臂，胳膊
肩以下，手腕以上的部分。

손 (名词) : 팔목 끝에 있으며 무엇을 만지거나 잡을 때 쓰는 몸의 부분.
手
位于手腕的末端，用于摸某物或抓某物时使用的肢体中一部分。

다리, 다리, 다리, 발

다리 (名词) : 사람이나 동물의 몸통 아래에 붙어, 서고 걷고 뛰는 일을 하는 신체 부위.
腿，下肢
人或动物身体下的，做站、走、跳的动作的身体部位。

발 (名词) : 사람이나 동물의 다리 맨 끝부분.
足，脚
人或动物腿部的最末端部分。

가슴, 허리, 엉덩이, 가슴, 허리, 엉덩이

가슴 (名词) : 인간이나 동물의 목과 배 사이에 있는 몸의 앞 부분.
胸，胸部
人类或动物的脖子和肚子之间的身体前面部分。

허리 (名词) : 사람이나 동물의 신체에서 갈비뼈 아래에서 엉덩이뼈까지의 부분.
腰
人或动物身体上从肋骨下方到尾骨的部分。

엉덩이 (名词) : 허리와 허벅지 사이의 부분으로 앉았을 때 바닥에 닿는, 살이 많은 부위.
屁股，臀部
指连接腰部与大腿的盆骨部分后方的浑圆部位。当坐下来时，其部位接触地面。

팔, 팔, 팔, 손

팔 (名词) : 어깨에서 손목까지의 신체 부위.
臂，胳膊
肩以下，手腕以上的部分。

손 (名词) : 팔목 끝에 있으며 무엇을 만지거나 잡을 때 쓰는 몸의 부분.
手
位于手腕的末端，用于摸某物或抓某物时使用的肢体中一部分。

다리, 다리, 다리, 발

다리 (名词) : 사람이나 동물의 몸통 아래에 붙어, 서고 걷고 뛰는 일을 하는 신체 부위.
腿，下肢
人或动物身体下的，做站、走、跳的动作的身体部位。

발 (名词) : 사람이나 동물의 다리 맨 끝부분.
足，脚
人或动物腿部的最末端部分。

가슴, 허리, 엉덩이, 가슴, 허리, 엉덩이

가슴 (名词) : 인간이나 동물의 목과 배 사이에 있는 몸의 앞 부분.
胸，胸部
人类或动物的脖子和肚子之间的身体前面部分。

허리 (名词) : 사람이나 동물의 신체에서 갈비뼈 아래에서 엉덩이뼈까지의 부분.
腰
人或动物身体上从肋骨下方到尾骨的部分。

엉덩이 (名词) : 허리와 허벅지 사이의 부분으로 앉았을 때 바닥에 닿는, 살이 많은 부위.
屁股，臀部
指连接腰部与大腿的盆骨部分后方的浑圆部位。当坐下来时，其部位接触地面。

신나+게 흔들+어요.

신나다 (动词) : 흥이 나고 기분이 아주 좋아지다.
兴高采烈，兴奋
来了兴致，心情变得非常好。

-게 (语尾) : 앞의 말이 뒤에서 가리키는 일의 목적이나 결과, 방식, 정도 등이 됨을 나타내는 연결 어미.
无对应词汇
表示前面的内容为后面所指事情的目的、结果、方式或程度等。**<方式>**

흔들다 (动词) : 무엇을 좌우, 앞뒤로 자꾸 움직이게 하다.
摇动，摇晃，挥动
使某物左右或前后摆动。

-어요 (语尾) : (두루높임으로) 어떤 사실을 서술하거나 질문, 명령, 권유함을 나타내는 종결 어미.
无对应词汇
(普尊) 表示叙述某个事实，或提问、命令、劝说。**<命令>**

다 함께 춤+을 추+어요.
춰요

다 (副词) : 남거나 빠진 것이 없이 모두.
全，都
一点不剩或不落下而全部。

함께 (副词) : 여럿이서 한꺼번에 같이.
一起，共同，与共
许多人一下子同时。

춤 (名词) : 음악이나 규칙적인 박자에 맞춰 몸을 움직이는 것.
舞蹈
随着音乐或节奏舞动身体。

을 (助词) : 서술어의 명사형 목적어임을 나타내는 조사.
无对应词汇
表示名词形谓词作宾语。

추다 (动词) : 춤 동작을 하다.
跳
做跳舞动作。

-어요 (语尾) : (두루높임으로) 어떤 사실을 서술하거나 질문, 명령, 권유함을 나타내는 종결 어미.
无对应词汇
(普尊) 表示叙述某个事实，或提问、命令、劝说。**<命令>**

즐겁+게 흔들+어요.

즐겁다 (形容词) : 마음에 들어 흐뭇하고 기쁘다.
愉快，欢乐，欢快
内心满意、满足且快乐。

-게 (语尾) : 앞의 말이 뒤에서 가리키는 일의 목적이나 결과, 방식, 정도 등이 됨을 나타내는 연결 어미.
无对应词汇
表示前面的内容为后面所指事情的目的、结果、方式或程度等。**<方式>**

흔들다 (动词) : 무엇을 좌우, 앞뒤로 자꾸 움직이게 하다.
摇动，摇晃，挥动
使某物左右或前后摆动。

-어요 (语尾) : (두루높임으로) 어떤 사실을 서술하거나 질문, 명령, 권유함을 나타내는 종결 어미.
无对应词汇
(普尊) 表示叙述某个事实，或提问、命令、劝说。**<命令>**

우리 모두 춤+을 추+어요.

춰요

우리 (代词) : 말하는 사람이 자기와 듣는 사람 또는 이를 포함한 여러 사람들을 가리키는 말.
我们，咱们
说话人指代自己和听话人在内的一些人。

모두 (副词) : 빠짐없이 다.
都，全
一个不漏，全都。

춤 (名词) : 음악이나 규칙적인 박자에 맞춰 몸을 움직이는 것.
舞蹈
随着音乐或节奏舞动身体。

을 (助词) : 서술어의 명사형 목적어임을 나타내는 조사.
无对应词汇
表示名词形谓词作宾语。

추다 (动词) : 춤 동작을 하다.
跳
做跳舞动作。

-어요 (语尾) : (두루높임으로) 어떤 사실을 서술하거나 질문, 명령, 권유함을 나타내는 종결 어미.
无对应词汇
(普尊) 表示叙述某个事实，或提问、命令、劝说。**<命令>**

< 3 절(节) >

머리, 어깨, 무릎, 발, 무릎, 발, 머리, 어깨, 무릎, 발, 무릎, 발

머리 (名词) : 사람이나 동물의 몸에서 얼굴과 머리털이 있는 부분을 모두 포함한 목 위의 부분.
头
在人或动物身体中，包括脸和头发的脖子以上的部分。

어깨 (名词) : 목의 아래 끝에서 팔의 위 끝에 이르는 몸의 부분.
肩，肩膀
从脖子下端到胳膊上端的身体的一部分。

무릎 (名词) : 허벅지와 종아리 사이에 앞쪽으로 둥글게 튀어나온 부분.
膝盖
大腿和小腿中间向前凸出的呈圆形的部分。

발 (名词) : 사람이나 동물의 다리 맨 끝부분.
足，脚
人或动物腿部的最末端部分。

머리, 어깨, 무릎, 발, 머리, 어깨, 무릎, 발

머리 (名词) : 사람이나 동물의 몸에서 얼굴과 머리털이 있는 부분을 모두 포함한 목 위의 부분.
头
在人或动物身体中，包括脸和头发的脖子以上的部分。

어깨 (名词) : 목의 아래 끝에서 팔의 위 끝에 이르는 몸의 부분.
肩，肩膀
从脖子下端到胳膊上端的身体的一部分。

무릎 (名词) : 허벅지와 종아리 사이에 앞쪽으로 둥글게 튀어나온 부분.
膝盖
大腿和小腿中间向前凸出的呈圆形的部分。

발 (名词) : 사람이나 동물의 다리 맨 끝부분.
足，脚
人或动物腿部的最末端部分。

머리, 어깨, 무릎, 발, 머리, 어깨, 무릎, 발

머리 (名词) : 사람이나 동물의 몸에서 얼굴과 머리털이 있는 부분을 모두 포함한 목 위의 부분.
头
在人或动物身体中，包括脸和头发的脖子以上的部分。

어깨 (名词) : 목의 아래 끝에서 팔의 위 끝에 이르는 몸의 부분.
肩，肩膀
从脖子下端到胳膊上端的身体的一部分。

무릎 (名词) : 허벅지와 종아리 사이에 앞쪽으로 둥글게 튀어나온 부분.
膝盖
大腿和小腿中间向前凸出的呈圆形的部分。

발 (名词) : 사람이나 동물의 다리 맨 끝부분.
足，脚
人或动物腿部的最末端部分。

< 4 >

어때요?

나 어때요?
(我看起来怎么样?)

[발음(发音)]

< 1 절(节) >

청바지 입었는데 어때요?
청바지 이번는데 어때요?
cheongbaji ibeonneunde eottaeyo?

치마 입었는데 어때요?
치마 이번는데 어때요?
chima ibeonneunde eottaeyo?

반바지는?
반바지는?
banbajineun?

원피스는?
원피스는?
wonpiseuneun?

어때요? 어때요? 어때요? 어때요? 어때요?
어때요? 어때요? 어때요? 어때요? 어때요?
eottaeyo? eottaeyo? eottaeyo? eottaeyo? eottaeyo?

머리 묶었는데 어때요?
머리 무껀는데 어때요?
meori mukkeonneunde eottaeyo?

머리 풀었는데 어때요?
머리 푸런는데 어때요?
meori pureonneunde eottaeyo?

긴 머리는?
긴 머리는?
gin meorineun?

짧은 머리는?
짤븐 머리는?
jjalbeun meorineun?

어때요? 어때요? 어때요? 어때요? 어때요?
어때요? 어때요? 어때요? 어때요? 어때요?
eottaeyo? eottaeyo? eottaeyo? eottaeyo? eottaeyo?

제 눈과 코와 입술이 얼마나 예뻐 보이나요?
제 눈과 코와 입쑤리 얼마나 예뻐 보이나요?
je nungwa kowa ipsuri eolmana yeppeo boinayo?

나 어때요?
나 어때요?
na eottaeyo?

나 예뻐요?
나 예뻐요?
na yeppeoyo?

어때요? 어때요? 어때요? 어때요? 어때요?
어때요? 어때요? 어때요? 어때요? 어때요?
eottaeyo? eottaeyo? eottaeyo? eottaeyo? eottaeyo?

< 2 절(节) >

운동화 신었는데 어때요?
운동화 시넌는데 어때요?
undonghwa sineonneunde eottaeyo?

구두 신었는데 어때요?
구두 시넌는데 어때요?
gudu sineonneunde eottaeyo?

검은색은?
거믄새근?
geomeunsaegeun?

흰색은?
힌새근?
hinsaegeun?

어때요? 어때요? 어때요? 어때요? 어때요?
어때요? 어때요? 어때요? 어때요? 어때요?
eottaeyo? eottaeyo? eottaeyo? eottaeyo? eottaeyo?

목걸이 찼는데 어때요?
목꺼리 찬는데 어때요?
mokgeori channeunde eottaeyo?

반지 끼었는데 어때요?
반지 끼언는데 어때요?
banji kkieonneunde eottaeyo?

귀걸이는?
귀거리는?
gwigeorineun?

팔찌는?
팔찌는?
paljjineun?

어때요? 어때요? 어때요? 어때요? 어때요?
어때요? 어때요? 어때요? 어때요? 어때요?
eottaeyo? eottaeyo? eottaeyo? eottaeyo? eottaeyo?

제 눈과 코와 입술이 얼마나 예뻐 보이나요?
제 눈과 코와 입쑤리 얼마나 예뻐 보이나요?
je nungwa kowa ipsuri eolmana yeppeo boinayo?

나 어때요?
나 어때요?
na eottaeyo?

나 예뻐요?
나 예뻐요?
na yeppeoyo?

어때요? 어때요? 어때요? 어때요? 어때요?
어때요? 어때요? 어때요? 어때요? 어때요?
eottaeyo? eottaeyo? eottaeyo? eottaeyo? eottaeyo?

< 1 절(节) >

청바지 입+었+는데 어떻+어요?
어때요

청바지 (名词) : 질긴 무명으로 만든 푸른색 바지.
牛仔裤
用粗棉布做成的蓝色裤子。

입다 (动词) : 옷을 몸에 걸치거나 두르다.
穿
将衣服披或裹在身上。

-었- (语尾) : 어떤 사건이 과거에 완료되었거나 그 사건의 결과가 현재까지 지속되는 상황을 나타내는 어미.
无对应词汇
表示某一事件已结束或其结果保持到现在。

-는데 (语尾) : 뒤의 말을 하기 위하여 그 대상과 관련이 있는 상황을 미리 말함을 나타내는 연결 어미.
无对应词汇
表示为了说后面的话而先说与其相关的状况。

어떻다 (形容词) : 생각, 느낌, 상태, 형편 등이 어찌 되어 있다.
怎么样
想法、感觉、状态或境况等成为什么状况。

-어요 (语尾) : (두루높임으로) 어떤 사실을 서술하거나 질문, 명령, 권유함을 나타내는 종결 어미.
无对应词汇
(普尊) 表示叙述某个事实，或提问、命令、劝说。**<提问>**

치마 입+었+는데 어떻+어요?
어때요

치마 (名词) : 여자가 입는 아래 겉옷으로 다리가 들어가도록 된 부분이 없는 옷.
裙，裙子
一种女性下身穿的没有裤腿部分的外衣。

입다 (动词) : 옷을 몸에 걸치거나 두르다.
穿
将衣服披或裹在身上。

-었- (语尾) : 어떤 사건이 과거에 완료되었거나 그 사건의 결과가 현재까지 지속되는 상황을 나타내는 어미.
无对应词汇
表示某一事件已结束或其结果保持到现在。

-는데 (语尾) : 뒤의 말을 하기 위하여 그 대상과 관련이 있는 상황을 미리 말함을 나타내는 연결 어미.
无对应词汇
表示为了说后面的话而先说与其相关的状况。

어떻다 (形容词) : 생각, 느낌, 상태, 형편 등이 어찌 되어 있다.
怎么样
想法、感觉、状态或境况等成为什么状况。

-어요 (语尾) : (두루높임으로) 어떤 사실을 서술하거나 질문, 명령, 권유함을 나타내는 종결 어미.
无对应词汇
(普尊) 表示叙述某个事实，或提问、命令、劝说。**<提问>**

반바지+는?

반바지 (名词) : 길이가 무릎 위나 무릎 정도까지 내려오는 짧은 바지.
短裤
长度到膝盖以上或膝盖的较短的裤子。

는 (助词) : 문장 속에서 어떤 대상이 화제임을 나타내는 조사.
无对应词汇
表示文中某个对象成为话题。

원피스+는?

원피스 (名词) : 윗옷과 치마가 하나로 붙어 있는 여자 겉옷.
连衣裙
上衣和裙子一体的女性衣服。

는 (助词) : 문장 속에서 어떤 대상이 화제임을 나타내는 조사.
无对应词汇
表示文中某个对象成为话题。

어떻+어요?

어때요

어떻다 (形容词) : 생각, 느낌, 상태, 형편 등이 어찌 되어 있다.
怎么样
想法、感觉、状态或境况等成为什么状况。

-어요 (语尾) : (두루높임으로) 어떤 사실을 서술하거나 질문, 명령, 권유함을 나타내는 종결 어미.
无对应词汇
(普尊) 表示叙述某个事实，或提问、命令、劝说。**<提问>**

머리 묶+었+는데 어떻+어요?

어때요

머리 (名词) : 머리에 난 털.
头发
生长在头上的毛发。

묶다 (动词) : 끈 등으로 물건을 잡아매다.
捆，扎
用带子等将物品绑起来。

-었- (语尾) : 어떤 사건이 과거에 완료되었거나 그 사건의 결과가 현재까지 지속되는 상황을 나타내는 어미.
无对应词汇
表示某一事件已结束或其结果保持到现在。

-는데 (语尾) : 뒤의 말을 하기 위하여 그 대상과 관련이 있는 상황을 미리 말함을 나타내는 연결 어미.
无对应词汇
表示为了说后面的话而先说与其相关的状况。

어떻다 (形容词) : 생각, 느낌, 상태, 형편 등이 어찌 되어 있다.
怎么样
想法、感觉、状态或境况等成为什么状况。

-어요 (语尾) : (두루높임으로) 어떤 사실을 서술하거나 질문, 명령, 권유함을 나타내는 종결 어미.
无对应词汇
(普尊) 表示叙述某个事实，或提问、命令、劝说。**<提问>**

머리 풀+었+는데 <u>어떻+어요</u>?
어때요

머리 (名词) : 머리에 난 털.
头发
生长在头上的毛发。

풀다 (动词) : 매이거나 묶이거나 얽힌 것을 원래의 상태로 되게 하다.
解开，解
使被捆绑或缠绕的东西变回原来的状态。

-었- (语尾) : 어떤 사건이 과거에 완료되었거나 그 사건의 결과가 현재까지 지속되는 상황을 나타내는 어미.
无对应词汇
表示某一事件已结束或其结果保持到现在。

-는데 (语尾) : 뒤의 말을 하기 위하여 그 대상과 관련이 있는 상황을 미리 말함을 나타내는 연결 어미.
无对应词汇
表示为了说后面的话而先说与其相关的状况。

어떻다 (形容词) : 생각, 느낌, 상태, 형편 등이 어찌 되어 있다.
怎么样
想法、感觉、状态或境况等成为什么状况。

-어요 (语尾) : (두루높임으로) 어떤 사실을 서술하거나 질문, 명령, 권유함을 나타내는 종결 어미.
无对应词汇
(普尊) 表示叙述某个事实，或提问、命令、劝说。**<提问>**

<u>길(기)+ㄴ</u> 머리+는?
긴

길다 (形容词) : 물체의 한쪽 끝에서 다른 쪽 끝까지 두 끝이 멀리 떨어져 있다.
长
从物体的一端到另一端相距甚远。

-ㄴ (语尾) : 앞의 말이 관형어의 기능을 하게 만들고 현재의 상태를 나타내는 어미.
无对应词汇
使前面的词具有定语功能，表示现在的状态。

머리 (名词) : 머리에 난 털.
头发
生长在头上的毛发。

는 (助词) : 문장 속에서 어떤 대상이 화제임을 나타내는 조사.
无对应词汇
表示文中某个对象成为话题。

짧+은 머리+는?

짧다 (形容词) : 공간이나 물체의 양 끝 사이가 가깝다.
短
空间或物体的两头距离近。

-은 (语尾) : 앞의 말이 관형어의 기능을 하게 만들고 현재의 상태를 나타내는 어미.
无对应词汇
使前面的词具有定语功能，表示现在的状态。

머리 (名词) : 머리에 난 털.
头发
生长在头上的毛发。

는 (助词) : 문장 속에서 어떤 대상이 화제임을 나타내는 조사.
无对应词汇
表示文中某个对象成为话题。

어떻+어요?
어때요

어떻다 (形容词) : 생각, 느낌, 상태, 형편 등이 어찌 되어 있다.
怎么样
想法、感觉、状态或境况等成为什么状况。

-어요 (语尾) : (두루높임으로) 어떤 사실을 서술하거나 질문, 명령, 권유함을 나타내는 종결 어미.
无对应词汇
(普尊) 表示叙述某个事实，或提问、命令、劝说。**<提问>**

저+의 눈+과 코+와 입술+이 얼마나 예쁘(예ㅃ)+[어 보이]+나요?
제 예뻐 보이나요

저 (代词) : 말하는 사람이 듣는 사람에게 자신을 낮추어 가리키는 말.
我
说话人在听话人面前对自己的谦称。

의 (助词) : 앞의 말이 뒤의 말에 대하여 소유, 소속, 소재, 관계, 기원, 주체의 관계를 가짐을 나타내는 조사.
的
表示所有、所属、所在、关系、来源、主体等关系。

눈 (名词) : 사람이나 동물의 얼굴에 있으며 빛의 자극을 받아 물체를 볼 수 있는 감각 기관.
眼睛
人或动物的一种感觉器官，位于脸部，受光线刺激后能看到物体。

과 (助词) : 앞과 뒤의 명사를 같은 자격으로 이어 줄 때 쓰는 조사.
和，跟
用于并列前后名词。

코 (名词) : 숨을 쉬고 냄새를 맡는 몸의 한 부분.
鼻，鼻子
用于呼吸、闻味儿的身体的一个部位。

와 (助词) : 앞과 뒤의 명사를 같은 자격으로 이어주는 조사.
和，跟
用于并列前后名词。

입술 (名词) : 사람의 입 주위를 둘러싸고 있는 붉고 부드러운 살.
嘴唇
围绕人的嘴周围的又红又软的肉。

이 (助词) : 어떤 상태나 상황의 대상이나 동작의 주체를 나타내는 조사.
无对应词汇
表示行为的主体或状态描述的对象。

얼마나 (副词) : 어느 정도나.
多少
达到某个程度地。

예쁘다 (形容词) : 생긴 모양이 눈으로 보기에 좋을 만큼 아름답다.
漂亮，好看
长相看起来美丽，让人喜欢。

-어 보이다 (表达) : 겉으로 볼 때 앞의 말이 나타내는 것처럼 느껴지거나 추측됨을 나타내는 표현.
看起来，看上去
表示从表面上能感觉到或能猜到前面表达的内容。

-나요 (语尾) : (두루높임으로) 앞의 내용에 대해 상대방에게 물어볼 때 쓰는 표현.
无对应词汇
(普尊) 表示向对方询问前面所指的内容。

나 어떻+어요?
어때요

나 (代词) : 말하는 사람이 친구나 아랫사람에게 자기를 가리키는 말.
我
说话人在朋友或晚辈面前用来指称自己。

어떻다 (形容词) : 생각, 느낌, 상태, 형편 등이 어찌 되어 있다.
怎么样
想法、感觉、状态或境况等成为什么状况。

-어요 (语尾) : (두루높임으로) 어떤 사실을 서술하거나 질문, 명령, 권유함을 나타내는 종결 어미.
无对应词汇
(普尊) 表示叙述某个事实，或提问、命令、劝说。**<提问>**

나 예쁘(예ㅃ)+어요?
예뻐요

나 (代词) : 말하는 사람이 친구나 아랫사람에게 자기를 가리키는 말.
我
说话人在朋友或晚辈面前用来指称自己。

예쁘다 (形容词) : 생긴 모양이 눈으로 보기에 좋을 만큼 아름답다.
漂亮，好看
长相看起来美丽，让人喜欢。

-어요 (语尾) : (두루높임으로) 어떤 사실을 서술하거나 질문, 명령, 권유함을 나타내는 종결 어미.
无对应词汇
(普尊) 表示叙述某个事实，或提问、命令、劝说。**<提问>**

어떻+어요?
어때요

어떻다 (形容词) : 생각, 느낌, 상태, 형편 등이 어찌 되어 있다.
怎么样
想法、感觉、状态或境况等成为什么状况。

-어요 (语尾) : (두루높임으로) 어떤 사실을 서술하거나 질문, 명령, 권유함을 나타내는 종결 어미.
无对应词汇
(普尊) 表示叙述某个事实，或提问、命令、劝说。**<提问>**

< 2 절(节) >

운동화 신+었+는데 어떻+어요?
어때요

운동화 (名词) : 운동을 할 때 신도록 만든 신발.
运动鞋
制造的用于运动时穿的鞋。

신다 (动词) : 신발이나 양말 등의 속으로 발을 넣어 발의 전부나 일부를 덮다.
穿
把脚放进鞋子或袜子等里面，覆盖脚的全部或一部分。

-었- (语尾) : 어떤 사건이 과거에 완료되었거나 그 사건의 결과가 현재까지 지속되는 상황을 나타내는 어미.
无对应词汇
表示某一事件已结束或其结果保持到现在。

-는데 (语尾) : 뒤의 말을 하기 위하여 그 대상과 관련이 있는 상황을 미리 말함을 나타내는 연결 어미.
无对应词汇
表示为了说后面的话而先说与其相关的状况。

어떻다 (形容词) : 생각, 느낌, 상태, 형편 등이 어찌 되어 있다.
怎么样
想法、感觉、状态或境况等成为什么状况。

-어요 (语尾) : (두루높임으로) 어떤 사실을 서술하거나 질문, 명령, 권유함을 나타내는 종결 어미.
无对应词汇
(普尊) 表示叙述某个事实，或提问、命令、劝说。**<提问>**

구두 신+었+는데 어떻+어요?
어때요

구두 (名词) : 정장을 입었을 때 신는 가죽, 비닐 등으로 만든 신발.
皮鞋
穿正装时所穿的由皮革、塑料等制成的鞋。

신다 (动词) : 신발이나 양말 등의 속으로 발을 넣어 발의 전부나 일부를 덮다.
穿
把脚放进鞋子或袜子等里面，覆盖脚的全部或一部分。

-었- (语尾) : 어떤 사건이 과거에 완료되었거나 그 사건의 결과가 현재까지 지속되는 상황을 나타내는 어미.
无对应词汇
表示某一事件已结束或其结果保持到现在。

-는데 (语尾) : 뒤의 말을 하기 위하여 그 대상과 관련이 있는 상황을 미리 말함을 나타내는 연결 어미.
无对应词汇
表示为了说后面的话而先说与其相关的状况。

어떻다 (形容词) : 생각, 느낌, 상태, 형편 등이 어찌 되어 있다.
怎么样
想法、感觉、状态或境况等成为什么状况。

-어요 (语尾) : (두루높임으로) 어떤 사실을 서술하거나 질문, 명령, 권유함을 나타내는 종결 어미.
无对应词汇
(普尊) 表示叙述某个事实，或提问、命令、劝说。**<提问>**

검은색+은?

검은색 (名词) : 빛이 없을 때의 밤하늘과 같이 매우 어둡고 짙은 색.
黑，黑色
和没有光的夜空一样非常暗而深的色。

은 (助词) : 문장 속에서 어떤 대상이 화제임을 나타내는 조사.
无对应词汇
表示某个对象是句中的话题。

흰색+은?

흰색 (名词) : 눈이나 우유와 같은 밝은 색.
白色
和雪或牛奶一样的浅色。

은 (助词) : 문장 속에서 어떤 대상이 화제임을 나타내는 조사.
无对应词汇
表示某个对象是句中的话题。

어떻+어요?
어때요

어떻다 (形容词) : 생각, 느낌, 상태, 형편 등이 어찌 되어 있다.
怎么样
想法、感觉、状态或境况等成为什么状况。

-어요 (语尾) : (두루높임으로) 어떤 사실을 서술하거나 질문, 명령, 권유함을 나타내는 종결 어미.
无对应词汇
(普尊) 表示叙述某个事实，或提问、命令、劝说。**<提问>**

목걸이 차+았+는데 어떻+어요?
찼는데 어때요

목걸이 (名词) : 보석 등을 줄에 꿰어서 목에 거는 장식품.
项链
将宝石等穿在线绳上后挂在脖颈上的装饰品。

차다 (动词) : 물건을 허리나 팔목, 발목 등에 매어 달거나 걸거나 끼우다.
系，挎，扣，戴，佩戴
把物品束在、挂在或别在腰、手腕或脚腕上。

-았- (语尾) : 어떤 사건이 과거에 완료되었거나 그 사건의 결과가 현재까지 지속되는 상황을 나타내는 어미.
无对应词汇
表示某一事件已结束或其结果保持到现在。

-는데 (语尾) : 뒤의 말을 하기 위하여 그 대상과 관련이 있는 상황을 미리 말함을 나타내는 연결 어미.
无对应词汇
表示为了说后面的话而先说与其相关的状况。

어떻다 (形容词) : 생각, 느낌, 상태, 형편 등이 어찌 되어 있다.
怎么样
想法、感觉、状态或境况等成为什么状况。

-어요 (语尾) : (두루높임으로) 어떤 사실을 서술하거나 질문, 명령, 권유함을 나타내는 종결 어미.
无对应词汇
(普尊) 表示叙述某个事实，或提问、命令、劝说。**<提问>**

반지 끼+었+는데 어떻+어요?
어때요

반지 (名词) : 손가락에 끼는 동그란 장신구.
戒指
套在手指上的圆形首饰。

끼다 (动词) : 무엇에 걸려 빠지지 않도록 꿰거나 꽂다.
插进，夹入
为了避免掉落，使其勾起来或别起来。

-었- (语尾) : 어떤 사건이 과거에 완료되었거나 그 사건의 결과가 현재까지 지속되는 상황을 나타내는 어미.
无对应词汇
表示某一事件已结束或其结果保持到现在。

-는데 (语尾) : 뒤의 말을 하기 위하여 그 대상과 관련이 있는 상황을 미리 말함을 나타내는 연결 어미.
无对应词汇
表示为了说后面的话而先说与其相关的状况。

어떻다 (形容词) : 생각, 느낌, 상태, 형편 등이 어찌 되어 있다.
怎么样
想法、感觉、状态或境况等成为什么状况。

-어요 (语尾) : (두루높임으로) 어떤 사실을 서술하거나 질문, 명령, 권유함을 나타내는 종결 어미.
无对应词汇
(普尊) 表示叙述某个事实，或提问、命令、劝说。**<提问>**

귀걸이+는?

귀걸이 (名词) : 귀에 다는 장식품.
耳环，耳坠
戴在耳朵上的装饰品。

는 (助词) : 문장 속에서 어떤 대상이 화제임을 나타내는 조사.
无对应词汇
表示文中某个对象成为话题。

팔찌+는?

팔찌 (名词) : 팔목에 끼는, 금, 은, 가죽 등으로 만든 장식품.
手镯
用金、银、皮等制作的戴在手腕上的装饰品。

는 (助词) : 문장 속에서 어떤 대상이 화제임을 나타내는 조사.
无对应词汇
表示文中某个对象成为话题。

어떻+어요?

어때요

어떻다 (形容词) : 생각, 느낌, 상태, 형편 등이 어찌 되어 있다.
怎么样
想法、感觉、状态或境况等成为什么状况。

-어요 (语尾) : (두루높임으로) 어떤 사실을 서술하거나 질문, 명령, 권유함을 나타내는 종결 어미.
无对应词汇
(普尊) 表示叙述某个事实，或提问、命令、劝说。**<提问>**

저+의 눈+과 코+와 입술+이 얼마나 예쁘(예ㅃ)+[어 보이]+나요?
제 예뻐 보이나요

저 (代词) : 말하는 사람이 듣는 사람에게 자신을 낮추어 가리키는 말.
我
说话人在听话人面前对自己的谦称。

의 (助词) : 앞의 말이 뒤의 말에 대하여 소유, 소속, 소재, 관계, 기원, 주체의 관계를 가짐을 나타내는 조사.
的
表示所有、所属、所在、关系、来源、主体等关系。

눈 (名词) : 사람이나 동물의 얼굴에 있으며 빛의 자극을 받아 물체를 볼 수 있는 감각 기관.
眼睛
人或动物的一种感觉器官，位于脸部，受光线刺激后能看到物体。

과 (助词) : 앞과 뒤의 명사를 같은 자격으로 이어 줄 때 쓰는 조사.
和，跟
用于并列前后名词。

코 (名词) : 숨을 쉬고 냄새를 맡는 몸의 한 부분.
鼻，鼻子
用于呼吸、闻味儿的身体的一个部位。

와 (助词) : 앞과 뒤의 명사를 같은 자격으로 이어주는 조사.
和，跟
用于并列前后名词。

입술 (名词) : 사람의 입 주위를 둘러싸고 있는 붉고 부드러운 살.
嘴唇
围绕人的嘴周围的又红又软的肉。

이 (助词) : 어떤 상태나 상황의 대상이나 동작의 주체를 나타내는 조사.
无对应词汇
表示行为的主体或状态描述的对象。

얼마나 (副词) : 어느 정도나.
多少
达到某个程度地。

예쁘다 (形容词) : 생긴 모양이 눈으로 보기에 좋을 만큼 아름답다.
漂亮，好看
长相看起来美丽，让人喜欢。

-어 보이다 (表达) : 겉으로 볼 때 앞의 말이 나타내는 것처럼 느껴지거나 추측됨을 나타내는 표현.
看起来，看上去
表示从表面上能感觉到或能猜到前面表达的内容。

-나요 (语尾) : (두루높임으로) 앞의 내용에 대해 상대방에게 물어볼 때 쓰는 표현.
无对应词汇
(普尊) 表示向对方询问前面所指的内容。

나 어떻+어요?
어때요

나 (代词) : 말하는 사람이 친구나 아랫사람에게 자기를 가리키는 말.
我
说话人在朋友或晚辈面前用来指称自己。

어떻다 (形容词) : 생각, 느낌, 상태, 형편 등이 어찌 되어 있다.
怎么样
想法、感觉、状态或境况等成为什么状况。

-어요 (语尾) : (두루높임으로) 어떤 사실을 서술하거나 질문, 명령, 권유함을 나타내는 종결 어미.
无对应词汇
(普尊) 表示叙述某个事实，或提问、命令、劝说。**<提问>**

나 예쁘(예ㅃ)+어요?
예뻐요

나 (代词) : 말하는 사람이 친구나 아랫사람에게 자기를 가리키는 말.
我
说话人在朋友或晚辈面前用来指称自己。

예쁘다 (形容词) : 생긴 모양이 눈으로 보기에 좋을 만큼 아름답다.
漂亮，好看
长相看起来美丽，让人喜欢。

-어요 (语尾) : (두루높임으로) 어떤 사실을 서술하거나 질문, 명령, 권유함을 나타내는 종결 어미.
无对应词汇
(普尊) 表示叙述某个事实，或提问、命令、劝说。**<提问>**

어떻+어요?

어때요

어떻다 (形容词) : 생각, 느낌, 상태, 형편 등이 어찌 되어 있다.
怎么样
想法、感觉、状态或境况等成为什么状况。

-어요 (语尾) : (두루높임으로) 어떤 사실을 서술하거나 질문, 명령, 권유함을 나타내는 종결 어미.
无对应词汇
(普尊) 表示叙述某个事实，或提问、命令、劝说。**<提问>**

< 5 >

하늘, 땅, 사람

(天空)

(陸地)

(人)

[발음(发音)]

< 1 절(节) >

하늘에서 비가 내린다고 하는 걸 보니 하늘은 위인가요?
하느레서 비가 내린다고 하는 걸 보니 하느른 위인가요?
haneureseo biga naerindago haneun geol boni haneureun wiingayo?

그 비가 땅을 적신다고 하는 걸 보니 그럼 땅은 아래인가 보네요.
그 비가 땅을 적씬다고 하는 걸 보니 그럼 땅은 아래인가 보네요.
geu biga ttangeul jeoksindago haneun geol boni geureom ttangeun araeinga boneyo.

땅을 밟고 서서 하늘을 바라보는 사람은 하늘과 땅 사이에 있는 거겠군요.
땅을 밥꼬 서서 하느를 바라보는 사라믄 하늘과 땅 사이에 인는 거겐꾸뇨.
ttangeul bapgo seoseo haneureul baraboneun sarameun haneulgwa ttang saie inneun geogetgunyo.

그 사이에 갇혀 지지고 볶으며 오늘도 나는 살아가고 있네요.
그 사이에 가처 지지고 보끄며 오늘도 나는 사라가고 인네요.
geu saie gacheo jijigo bokkeumyeo oneuldo naneun saragago inneyo.

땅에 갇혀 사는 것은 이제 너무 지겨워요.
땅에 가처 사는 거슨 이제 너무 지겨워요.
ttange gacheo saneun geoseun ije neomu jigyeowoyo.

움츠린 가슴을 펴고 하늘 끝까지 날아올라 봐요.
움츠린 가스믈 펴고 하늘 끝까지 나라올라 봐요.
umcheurin gaseumeul pyeogo haneul kkeutkkaji naraolla bwayo.

우리 모두 거기서 행복하게 살아 봐요.
우리 모두 거기서 행보카게 사라 봐요.
uri modu geogiseo haengbokage sara bwayo.

< 후렴(副歌) >

이제부터는 지금부터는
이제부터는 지금부터는
ijebuteoneun jigeumbuteoneun

가슴이 시키는 대로 살아 봐요.
가스미 시키는 대로 사라 봐요.
gaseumi sikineun daero sara bwayo.

이제부터는 지금부터는
이제부터는 지금부터는
ijebuteoneun jigeumbuteoneun

가슴이 느끼는 대로 자유롭게
가스미 느끼는 대로 자유롭께
gaseumi neukkineun daero jayuropge

아무것도 신경 쓰지 마요.
아무걷또 신경 쓰지 마요.
amugeotdo singyeong sseuji mayo.

< 2 절(节) >

아직까지 해가 뜨고 진 적은 한 번도 없었어요.
아직까지 해가 뜨고 진 저근 한 번도 업써써요.
ajikkkaji haega tteugo jin jeogeun han beondo eopseosseoyo.

이 땅에 사는 우리들만 어제도 오늘도 쉼 없이 돌고 돌고 또 돌아요.
이 땅에 사는 우리들만 어제도 오늘도 쉼 업씨 돌고 돌고 또 도라요.
i ttange saneun urideulman eojedo oneuldo swim eopsi dolgo dolgo tto dorayo.

배운 대로 남들이 시키는 대로 그렇게 사람들 사이에 숨어 살아가고 있죠.
배운 대로 남드리 시키는 대로 그러케 사람들 사이에 수머 사라가고 읻쬬.
baeun daero namdeuri sikineun daero geureoke saramdeul saie sumeo saragago itjyo.

그 사이에 갇혀 지지고 볶으며 오늘도 나는 살아가고 있네요.
그 사이에 가처 지지고 보끄며 오늘도 나는 사라가고 인네요.
geu saie gacheo jijigo bokkeumyeo oneuldo naneun saragago inneyo.

누가 시키는 대로 사는 것은 이제 너무 짜증이 나요.
누가 시키는 대로 사는 거슨 이제 너무 짜증이 나요.
nuga sikineun daero saneun geoseun ije neomu jjajeungi nayo.

바라고 원하는 생각들을 하늘 너머로 떠나보내요.
바라고 원하는 생각뜨를 하늘 너머로 떠나보내요.
barago wonhaneun saenggakdeureul haneul neomeoro tteonabonaeyo.

우리 모두 거기서 자유롭게 살아 봐요.
우리 모두 거기서 자유롭께 사라 봐요.
uri modu geogiseo jayuropge sara bwayo.

< 후렴(副歌) >

우- 워- 이제부터는 지금부터는
우- 워- 이제부터는 지금부터는
u- wo- ijebuteoneun jigeumbuteoneun

이제부터는 지금부터는
이제부터는 지금부터는
ijebuteoneun jigeumbuteoneun

가슴이 시키는 대로 살아 봐요.
가스미 시키는 대로 사라 봐요.
gaseumi sikineun daero sara bwayo.

이제부터는 지금부터는
이제부터는 지금부터는
ijebuteoneun jigeumbuteoneun

가슴이 느끼는 대로 자유롭게
가스미 느끼는 대로 자유롭께
gaseumi neukkineun daero jayuropge

이제부터는 지금부터는
이제부터는 지금부터는
ijebuteoneun jigeumbuteoneun

(우리 모두 거기서)
(우리 모두 거기서)
(uri modu geogiseo)

가슴이 시키는 대로 살아 봐요.
가스미 시키는 대로 사라 봐요.
gaseumi sikineun daero sara bwayo.

(자유롭게 살아요)
(자유롭께 사라요)
(jayuropge sarayo)

이제부터는 지금부터는
이제부터는 지금부터는
ijebuteoneun jigeumbuteoneun

(우리 모두 거기서)
(우리 모두 거기서)
(uri modu geogiseo)

가슴이 느끼는 대로 자유롭게
가스미 느끼는 대로 자유롭께
gaseumi neukkineun daero jayuropge

(자유롭게)
(자유롭께)
(jayuropge)

그런 사람이었어요.
그런 사라미어써요.
geureon saramieosseoyo.

그런 인생이었어요.
그런 인생이어써요.
geureon insaengieosseoyo.

그렇게 기억해 줘요.
그러케 기어캐 줘요.
geureoke gieokae jwoyo.

< 1 절(节) >

하늘+에서 비+가 내리+ㄴ다고 하+[는 것(거)]+을 보+니
내린다고 하는 걸

하늘 (名词) : 땅 위로 펼쳐진 무한히 넓은 공간.
天空
地面上无限伸展的空间。

에서 (助词) : 앞말이 출발점의 뜻을 나타내는 조사.
无对应词汇
表示前面的内容为出发点。

비 (名词) : 높은 곳에서 구름을 이루고 있던 수증기가 식어서 뭉쳐 떨어지는 물방울.
雨
高空中形成云朵的水蒸气冷却凝聚后降落而下的水滴。

가 (助词) : 어떤 상태나 상황에 놓인 대상이나 동작의 주체를 나타내는 조사.
无对应词汇
表示行为的主体或状态描述的对象。

내리다 (动词) : 눈이나 비 등이 오다.
下，落
雪或雨等降下。

-ㄴ다고 (表达) : 다른 사람에게서 들은 내용을 간접적으로 전달하거나 주어의 생각, 의견 등을 나타내는 표현.
无对应词汇
用于间接转述他人所说的话或表达主语的想法、意见等。

하다 (动词) : 무엇에 대해 말하다.
无对应词汇
表示引用。

-는 것 (表达) : 명사가 아닌 것을 문장에서 명사처럼 쓰이게 하거나 '이다' 앞에 쓰일 수 있게 할 때 쓰는 표현.
无对应词汇
用于使非名词在句中用作名词或使其可出现在"이다"前面。

을 (助词) : 동작이 직접적으로 영향을 미치는 대상을 나타내는 조사.
无对应词汇
表示动作直接涉及的对象。

보다 (动词) : 무엇을 근거로 판단하다.
推测
根据某事判断。

-니 (语尾) : 뒤에 오는 말에 대하여 앞에 오는 말이 원인이나 근거, 전제가 됨을 나타내는 연결 어미.
无对应词汇
表示前句是后句的原因、依据或前提。

하늘+은 위+이+ㄴ가요?
위인가요

하늘 (名词) : 땅 위로 펼쳐진 무한히 넓은 공간.
天空
地面上无限伸展的空间。

은 (助词) : 문장 속에서 어떤 대상이 화제임을 나타내는 조사.
无对应词汇
表示某个对象是句中的话题。

위 (名词) : 어떤 기준보다 더 높은 쪽. 또는 중간보다 더 높은 쪽.
上
比某基准更高的一方；或指比中间更高的一方。

이다 (助词) : 주어가 지시하는 대상의 속성이나 부류를 지정하는 뜻을 나타내는 서술격 조사.
无对应词汇
表示指定主语所指示的属性或类型。

-ㄴ가요 (语尾) : (두루높임으로) 현재의 사실에 대한 물음을 나타내는 종결 어미.
无对应词汇
(轻卑) 表示询问当前的事情。

그 비+가 땅+을 <u>적시+ㄴ다고</u> <u>하+[는 것(거)]+을</u> 보+니
적신다고 하는 걸

그 (冠形词) : 앞에서 이미 이야기한 대상을 가리킬 때 쓰는 말.
那个
指代前面已经讲过的对象。

비 (名词) : 높은 곳에서 구름을 이루고 있던 수증기가 식어서 뭉쳐 떨어지는 물방울.
雨
高空中形成云朵的水蒸气冷却凝聚后降落而下的水滴。

가 (助词) : 어떤 상태나 상황에 놓인 대상이나 동작의 주체를 나타내는 조사.
无对应词汇
表示行为的主体或状态描述的对象。

땅 (名词) : 지구에서 물로 된 부분이 아닌 흙이나 돌로 된 부분.
陆地，大陆
地球上除水以外，由土或石头构成的部分。

을 (助词) : 동작이 직접적으로 영향을 미치는 대상을 나타내는 조사.
无对应词汇
表示动作直接涉及的对象。

적시다 (动词) : 물 등의 액체를 묻혀 젖게 하다.
弄湿
使粘上水等液体后变湿。

-ㄴ다고 (表达) : 다른 사람에게서 들은 내용을 간접적으로 전달하거나 주어의 생각, 의견 등을 나타내는 표현.
无对应词汇
用于间接转述他人所说的话或表达主语的想法、意见等。

하다 (动词) : 무엇에 대해 말하다.
无对应词汇
表示引用。

-는 것 (表达) : 명사가 아닌 것을 문장에서 명사처럼 쓰이게 하거나 '이다' 앞에 쓰일 수 있게 할 때 쓰는 표현.
无对应词汇
用于使非名词在句中用作名词或使其可出现在"이다"前面。

을 (助词) : 동작이 직접적으로 영향을 미치는 대상을 나타내는 조사.
无对应词汇
表示动作直接涉及的对象。

보다 (动词) : 무엇을 근거로 판단하다.
推测
根据某事判断。

-니 (语尾) : 뒤에 오는 말에 대하여 앞에 오는 말이 원인이나 근거, 전제가 됨을 나타내는 연결 어미.
无对应词汇
表示前句是后句的原因、依据或前提。

그럼 땅+은 아래+이+[ㄴ가 보]+네요.
아래인가 보네요

그럼 (副词) : 앞의 내용이 뒤의 내용의 조건이 될 때 쓰는 말.
那么，那样的话
用于表示前文为后文的条件。

땅 (名词) : 지구에서 물로 된 부분이 아닌 흙이나 돌로 된 부분.
陆地，大陆
地球上除水以外，由土或石头构成的部分。

은 (助词) : 문장 속에서 어떤 대상이 화제임을 나타내는 조사.
无对应词汇
表示某个对象是句中的话题。

아래 (名词) : 일정한 기준보다 낮은 위치.
下，下面
比一定基准低的位置。

이다 (助词) : 주어가 지시하는 대상의 속성이나 부류를 지정하는 뜻을 나타내는 서술격 조사.
无对应词汇
表示指定主语所指示的属性或类型。

-ㄴ가 보다 (表达) : 앞의 말이 나타내는 사실을 추측함을 나타내는 표현.
无对应词汇
表示对前面事实的推测。

-네요 (表达) : (두루높임으로) 말하는 사람이 직접 경험하여 새롭게 알게 된 사실에 대해 감탄함을 나타낼 때 쓰는 표현.
无对应词汇
(普尊) 表示说话人感叹亲身经历所得知的新事实。

땅+을 밟+고 서+(어)서 하늘+을 바라보+는 사람+은
서서

땅 (名词) : 지구에서 물로 된 부분이 아닌 흙이나 돌로 된 부분.
陆地，大陆
地球上除水以外，由土或石头构成的部分。

을 (助词) : 동작이 직접적으로 영향을 미치는 대상을 나타내는 조사.
无对应词汇
表示动作直接涉及的对象。

밟다 (动词) : 어떤 대상에 발을 올려놓고 서거나 올려놓으면서 걷다.
踏，踩
把脚放在某个对象上面站着或走动。

-고 (语尾) : 앞의 말이 나타내는 행동이나 그 결과가 뒤에 오는 행동이 일어나는 동안에 그대로 지속됨을 나타내는 연결 어미.
无对应词汇
表示前面的动作或其结果在后面动作进行的过程中一直持续。

서다 (动词) : 사람이나 동물이 바닥에 발을 대고 몸을 곧게 하다.
站，站立
人或动物把脚放在地上，使身体挺直。

-어서 (语尾) : 앞의 말과 뒤의 말이 순차적으로 일어남을 나타내는 연결 어미.
无对应词汇
表示前后内容依次发生。

하늘 (名词) : 땅 위로 펼쳐진 무한히 넓은 공간.
天空
地面上无限伸展的空间。

을 (助词) : 동작이 직접적으로 영향을 미치는 대상을 나타내는 조사.
无对应词汇
表示动作直接涉及的对象。

바라보다 (动词) : 바로 향해 보다.
望，看
正对着看。

-는 (语尾) : 앞의 말이 관형어의 기능을 하게 만들고 사건이나 동작이 현재 일어남을 나타내는 어미.
无对应词汇
使前面的词具有定语功能，表示事件或动作现在正在发生。

사람 (名词) : 생각할 수 있으며 언어와 도구를 만들어 사용하고 사회를 이루어 사는 존재.
人
可以思考，会制造并使用语言和工具、构成社会而生活的存在。

은 (助词) : 문장 속에서 어떤 대상이 화제임을 나타내는 조사.
无对应词汇
表示某个对象是句中的话题。

하늘+과 땅 사이+에 있+[는 것(거)]+(이)+겠+군요.
있는 거겠군요

하늘 (名词) : 땅 위로 펼쳐진 무한히 넓은 공간.
天空
地面上无限伸展的空间。

과 (助词) : 앞과 뒤의 명사를 같은 자격으로 이어 줄 때 쓰는 조사.
和，跟
用于并列前后名词。

땅 (名词) : 지구에서 물로 된 부분이 아닌 흙이나 돌로 된 부분.
陆地，大陆
地球上除水以外，由土或石头构成的部分。

사이 (名词) : 한 물체에서 다른 물체까지 또는 한곳에서 다른 곳까지의 거리나 공간.
间，之间，间距
从一个物体到另一个物体，或从一处到另一处的距离或空间。

에 (助词) : 앞말이 어떤 장소나 자리임을 나타내는 조사.
无对应词汇
表示某个处所或地点。

있다 (形容词) : 사람이나 동물이 어느 곳에 머무르거나 사는 상태이다.
在，待，住
人或动物停留或居住在某个地方。

-는 것 (表达) : 명사가 아닌 것을 문장에서 명사처럼 쓰이게 하거나 '이다' 앞에 쓰일 수 있게 할 때 쓰는 표현.
无对应词汇
用于使非名词在句中用作名词或使其可出现在"이다"前面。

이다 (助词) : 주어가 지시하는 대상의 속성이나 부류를 지정하는 뜻을 나타내는 서술격 조사.
无对应词汇
表示指定主语所指示的属性或类型。

-겠- (语尾) : 미래의 일이나 추측을 나타내는 어미.
无对应词汇
表示将来或推测。

-군요 (表达) : (두루높임으로) 새롭게 알게 된 사실에 주목하거나 감탄함을 나타내는 표현.
无对应词汇
(普尊) 表示关注或感叹新发现的事实。

그 사이+에 갇히+어 [지지고 볶]+으며 오늘+도 나+는 살아가+[고 있]+네요.
갇혀

그 (冠形词) : 앞에서 이미 이야기한 대상을 가리킬 때 쓰는 말.
那个
指代前面已经讲过的对象。

사이 (名词) : 한 물체에서 다른 물체까지 또는 한곳에서 다른 곳까지의 거리나 공간.
间，之间，间距
从一个物体到另一个物体，或从一处到另一处的距离或空间。

에 (助词) : 앞말이 어떤 장소나 자리임을 나타내는 조사.
无对应词汇
表示某个处所或地点。

갇히다 (动词) : 어떤 공간이나 상황에서 나가지 못하게 되다.
被关，被困
在某个空间或状况里出不去。

-어 (语尾) : 앞의 말이 뒤의 말보다 먼저 일어났거나 뒤의 말에 대한 방법이나 수단이 됨을 나타내는 연결 어미.
无对应词汇
表示前句先于后句发生，或表示前句是后句的方法或手段。

지지고 볶다 (惯用句) : 온갖 것을 겪으며 함께 살아가다.
同甘共苦
经历种种情况，共度一生。

-으며 (语尾) : 두 가지 이상의 동작이나 상태가 함께 일어남을 나타내는 연결 어미.
无对应词汇
表示同时发生两个以上的动作或状态。

오늘 (名词) : 지금 지나가고 있는 이날.
今天，今日
现在正在度过的这一天。

도 (助词) : 이미 있는 어떤 것에 다른 것을 더하거나 포함함을 나타내는 조사.
无对应词汇
表示添加或包括。

나 (代词) : 말하는 사람이 친구나 아랫사람에게 자기를 가리키는 말.
我
说话人在朋友或晚辈面前用来指称自己。

는 (助词) : 문장 속에서 어떤 대상이 화제임을 나타내는 조사.
无对应词汇
表示文中某个对象成为话题。

살아가다 (动词) : 어떤 종류의 삶이나 시대 등을 견디며 생활해 나가다.
生存，活下去，度日
忍耐着某种生活或时代而过下去。

-고 있다 (表达) : 앞의 말이 나타내는 행동이 계속 진행됨을 나타내는 표현.
正，在，正在
表示持续进行前一句所指的行为。

-네요 (表达) : (두루높임으로) 말하는 사람이 직접 경험하여 새롭게 알게 된 사실에 대해 감탄함을 나타낼 때 쓰는 표현.
无对应词汇
(普尊) 表示说话人感叹亲身经历所得知的新事实。

땅+에 갇히+어 살(사)+[는 것]+은 이제 너무 지겹(지겨우)+어요.
갇혀 사는 것은 지겨워요

땅 (名词) : 지구에서 물로 된 부분이 아닌 흙이나 돌로 된 부분.
陆地，大陆
地球上除水以外，由土或石头构成的部分。

에 (助词) : 앞말이 어떤 장소나 자리임을 나타내는 조사.
无对应词汇
表示某个处所或地点。

갇히다 (动词) : 어떤 공간이나 상황에서 나가지 못하게 되다.
被关，被困
在某个空间或状况里出不去。

-어 (语尾) : 앞의 말이 뒤의 말보다 먼저 일어났거나 뒤의 말에 대한 방법이나 수단이 됨을 나타내는 연결 어미.
无对应词汇
表示前句先于后句发生，或表示前句是后句的方法或手段。

살다 (动词) : 사람이 생활을 하다.
生活，过活，过日子
人过生活。

-는 것 (表达) : 명사가 아닌 것을 문장에서 명사처럼 쓰이게 하거나 '이다' 앞에 쓰일 수 있게 할 때 쓰는 표현.
无对应词汇
用于使非名词在句中用作名词或使其可出现在"이다"前面。

은 (助词) : 문장 속에서 어떤 대상이 화제임을 나타내는 조사.
无对应词汇
表示某个对象是句中的话题。

이제 (副词) : 지금의 시기가 되어.
这就
到此时。

너무 (副词) : 일정한 정도나 한계를 훨씬 넘어선 상태로.
太
已超过一定的程度或限度的状态。

지겹다 (形容词) : 같은 상태나 일이 반복되어 재미가 없고 지루하고 싫다.
烦腻，厌烦
同一状态或事情反复多次而觉得没有意思，无聊且讨厌。

-어요 (语尾) : (두루높임으로) 어떤 사실을 서술하거나 질문, 명령, 권유함을 나타내는 종결 어미.
无对应词汇
(普尊) 表示叙述某个事实，或提问、命令、劝说。**<叙述>**

움츠리+ㄴ 가슴+을 펴+고 하늘 끝+까지 날아오르(날아올ㄹ)+[아 보]+아요.

움츠린 **날아올라 봐요**

움츠리다 (动词) : 몸이나 몸의 일부를 오그려 작아지게 하다.
蜷缩
身体或身体的一部分缩起而变小。

-ㄴ (语尾) : 앞의 말이 관형어의 기능을 하게 만들고 사건이나 동작이 완료되어 그 상태가 유지되고 있음을 나타내는 어미.
无对应词汇
使前面的词具有定语功能，表示事件或动作完成后其状态一直持续。

가슴 (名词) : 인간이나 동물의 목과 배 사이에 있는 몸의 앞 부분.
胸，胸部
人类或动物的脖子和肚子之间的身体前面部分。

을 (助词) : 동작이 직접적으로 영향을 미치는 대상을 나타내는 조사.
无对应词汇
表示动作直接涉及的对象。

펴다 (动词) : 굽은 것을 곧게 하다. 또는 움츠리거나 오므라든 것을 벌리다.
展开
将弯曲的东西弄直；或指将蜷缩活凹瘪的东西弄开。

-고 (语尾) : 앞의 말이 나타내는 행동이나 그 결과가 뒤에 오는 행동이 일어나는 동안에 그대로 지속됨을 나타내는 연결 어미.
无对应词汇
表示前面的动作或其结果在后面动作进行的过程中一直持续。

하늘 (名词) : 땅 위로 펼쳐진 무한히 넓은 공간.
天空
地面上无限伸展的空间。

끝 (名词) : 공간에서의 마지막 장소.
头，尽头，端
空间上的最后地点。

까지 (助词) : 어떤 범위의 끝임을 나타내는 조사.
到
表示某种范围的终点。

날아오르다 (动词) : 날아서 위로 높이 올라가다.
飞上，飞起来，腾飞
飞上高空。

-아 보다 (表达) : 앞의 말이 나타내는 행동을 시험 삼아 함을 나타내는 표현.
无对应词汇
表示试着做前面所指的行动。

-아요 (语尾) : (두루높임으로) 어떤 사실을 서술하거나 질문, 명령, 권유함을 나타내는 종결 어미.
无对应词汇
(普尊) 表示叙述某个事实，或提问、命令、劝说。<劝导>

우리 모두 거기+서 행복하+게 살+[아 보]+아요.
살아 봐요

우리 (代词) : 말하는 사람이 자기와 듣는 사람 또는 이를 포함한 여러 사람들을 가리키는 말.
我们，咱们
说话人指代自己和听话人在内的一些人。

모두 (副词) : 빠짐없이 다.
都，全
一个不漏，全都。

거기 (代词) : 앞에서 이미 이야기한 곳을 가리키는 말.
那儿，那里
指代前面已经讲过的地方。

서 (助词) : 앞말이 행동이 이루어지고 있는 장소임을 나타내는 조사.
无对应词汇
表示前面的内容为动作进行的地点。

행복하다 (形容词) : 삶에서 충분한 만족과 기쁨을 느껴 흐뭇하다.
幸福
生活中感觉到充分的满足和愉快而决定满足。

-게 (语尾) : 앞의 말이 뒤에서 가리키는 일의 목적이나 결과, 방식, 정도 등이 됨을 나타내는 연결 어미.
无对应词汇
表示前面的内容为后面所指事情的目的、结果、方式或程度等。**<方式>**

살다 (动词) : 사람이 생활을 하다.
生活，过活，过日子
人过生活。

-아 보다 (表达) : 앞의 말이 나타내는 행동을 시험 삼아 함을 나타내는 표현.
无对应词汇
表示试着做前面所指的行动。

-아요 (语尾) : (두루높임으로) 어떤 사실을 서술하거나 질문, 명령, 권유함을 나타내는 종결 어미.
无对应词汇
(普尊) 表示叙述某个事实，或提问、命令、劝说。**<劝导>**

< 후렴(副歌) >

이제+부터+는 지금+부터+는

이제 (名词) : 지금의 시기.
现在
当下的时期。

부터 (助词) : 어떤 일의 시작이나 처음을 나타내는 조사.
从
表示某事的开始或起始。

는 (助词) : 어떤 대상이 다른 것과 대조됨을 나타내는 조사.
无对应词汇
表示某个对象与另一个形成对照。

지금 (名词) : 말을 하고 있는 바로 이때.
现在
指正在说话的此时。

부터 (助词) : 어떤 일의 시작이나 처음을 나타내는 조사.
从
表示某事的开始或起始。

는 (助词) : 어떤 대상이 다른 것과 대조됨을 나타내는 조사.
无对应词汇
表示某个对象与另一个形成对照。

가슴+이 시키+[는 대로] 살+[아 보]+아요.
살아 봐요

가슴 (名词) : 마음이나 느낌.
心，心情，内心
心理或感受。

이 (助词) : 어떤 상태나 상황의 대상이나 동작의 주체를 나타내는 조사.
无对应词汇
表示行为的主体或状态描述的对象。

시키다 (动词) : 어떤 일이나 행동을 하게 하다.
让，叫
使做某事或某种行为。

-는 대로 (表达) : 앞에 오는 말이 뜻하는 현재의 행동이나 상황과 같음을 나타내는 표현.
无对应词汇
表示前面所指的内容和现在的行动或状况相同。

살다 (动词) : 사람이 생활을 하다.
生活，过活，过日子
人过生活。

-아 보다 (表达) : 앞의 말이 나타내는 행동을 시험 삼아 함을 나타내는 표현.
无对应词汇
表示试着做前面所指的行动。

-아요 (语尾) : (두루높임으로) 어떤 사실을 서술하거나 질문, 명령, 권유함을 나타내는 종결 어미.
无对应词汇
(普尊) 表示叙述某个事实，或提问、命令、劝说。**<劝导>**

이제+부터+는 지금+부터+는

이제 (名词) : 지금의 시기.
现在
当下的时期。

부터 (助词) : 어떤 일의 시작이나 처음을 나타내는 조사.
从
表示某事的开始或起始。

는 (助词) : 어떤 대상이 다른 것과 대조됨을 나타내는 조사.
无对应词汇
表示某个对象与另一个形成对照。

지금 (名词) : 말을 하고 있는 바로 이때.
现在
指正在说话的此时。

부터 (助词) : 어떤 일의 시작이나 처음을 나타내는 조사.
从
表示某事的开始或起始。

는 (助词) : 어떤 대상이 다른 것과 대조됨을 나타내는 조사.
无对应词汇
表示某个对象与另一个形成对照。

가슴+이 느끼+[는 대로] 자유롭+게

가슴 (名词) : 마음이나 느낌.
心，心情，内心
心理或感受。

이 (助词) : 어떤 상태나 상황의 대상이나 동작의 주체를 나타내는 조사.
无对应词汇
表示行为的主体或状态描述的对象。

느끼다 (动词) : 특정한 대상이나 상황을 어떻다고 생각하거나 인식하다.
认为，觉得，感到
感觉或认识到特定的对象或情况如何。

-는 대로 (表达) : 앞에 오는 말이 뜻하는 현재의 행동이나 상황과 같음을 나타내는 표현.
无对应词汇
表示前面所指的内容和现在的行动或状况相同。

자유롭다 (形容词) : 무엇에 얽매이거나 구속되지 않고 자기 생각과 의지대로 할 수 있다.
自由，自由自在
不受拘束或限制，随心所欲。

-게 (语尾) : 앞의 말이 뒤에서 가리키는 일의 목적이나 결과, 방식, 정도 등이 됨을 나타내는 연결 어미.
无对应词汇
表示前面的内容为后面所指事情的目的、结果、方式或程度等。

아무것+도 [신경 쓰]+[지 말(마)]+(아)요.
신경 쓰지 마요

아무것 (名词) : 어떤 것의 조금이나 일부분.
一点，什么
某物的一点点或一部分。

도 (助词) : 극단적인 경우를 들어 다른 경우는 말할 것도 없음을 나타내는 조사.
无对应词汇
举出极端事例。

신경 쓰다 (惯用句) : 사소한 일까지 세심하게 생각하다.
费心思；费心；注意
对细微的事情也考虑得很仔细。

-지 말다 (表达) : 앞의 말이 나타내는 행동을 하지 못하게 함을 나타내는 표현.
无对应词汇
表示禁止进行前面所指的行为。

-아요 (语尾) : (두루높임으로) 어떤 사실을 서술하거나 질문, 명령, 권유함을 나타내는 종결 어미.
无对应词汇
(普尊) 表示叙述某个事实，或提问、命令、劝说。<命令>

< 2 절(节) >

아직+까지 해+가 뜨+고 지+[ㄴ 적+은 한 번+도 없]+었+어요.

진 적은 한 번도 없었어요

아직 (副词) : 어떤 일이나 상태 또는 어떻게 되기까지 시간이 더 지나야 함을 나타내거나, 어떤 일이나 상태가 끝나지 않고 계속 이어지고 있음을 나타내는 말.
尚未，还，仍然
表示某事或状态成为怎么样需要过一段时间， 或者某事或状态不结束继续不断。

까지 (助词) : 어떤 범위의 끝임을 나타내는 조사.
到
表示某种范围的终点。

해 (名词) : 태양계의 중심에 있으며 온도가 매우 높고 스스로 빛을 내는 항성.
太阳
位于太阳系的中心，温度极高，自行发光的恒星。

가 (助词) : 어떤 상태나 상황에 놓인 대상이나 동작의 주체를 나타내는 조사.
无对应词汇
表示行为的主体或状态描述的对象。

뜨다 (动词) : 물 위나 공중에 있거나 위쪽으로 솟아오르다.
漂，浮
在水面上或空中，或向上涌起。

-고 (语尾) : 두 가지 이상의 대등한 사실을 나열할 때 쓰는 연결 어미.
无对应词汇
连接语尾。表示罗列两个以上的对等的事实。

지다 (动词) : 해나 달이 서쪽으로 넘어가다.
落
太阳或月亮西下。

-ㄴ 적 없다 (表达) : 앞의 말이 나타내는 동작이 일어나거나 그 상태가 나타난 때가 없음을 나타내는 표현.
无对应词汇
表示前面表达的动作没有发生过，或那种状态没有出现过。

은 (助词) : 문장 속에서 어떤 대상이 화제임을 나타내는 조사.
无对应词汇
表示某个对象是句中的话题。

한 (冠形词) : 하나의.
一
一个的。

번 (名词) : 일의 횟수를 세는 단위.
次，遍
计算事情次数的数量单位。

도 (助词) : 극단적인 경우를 들어 다른 경우는 말할 것도 없음을 나타내는 조사.
无对应词汇
举出极端事例。

-었- (语尾) : 어떤 사건이 과거에 완료되었거나 그 사건의 결과가 현재까지 지속되는 상황을 나타내는 어미.
无对应词汇
表示某一事件已结束或其结果保持到现在。

-어요 (语尾) : (두루높임으로) 어떤 사실을 서술하거나 질문, 명령, 권유함을 나타내는 종결 어미.
无对应词汇
(普尊) 表示叙述某个事实，或提问、命令、劝说。**<叙述>**

이 땅+에 살(사)+는 우리+들+만 어제+도 오늘+도
사는

이 (冠形词) : 바로 앞에서 이야기한 대상을 가리킬 때 쓰는 말.
这
用于指示刚才所说的对象。

땅 (名词) : 지구에서 물로 된 부분이 아닌 흙이나 돌로 된 부분.
陆地，大陆
地球上除水以外，由土或石头构成的部分。

에 (助词) : 앞말이 어떤 장소나 자리임을 나타내는 조사.
无对应词汇
表示某个处所或地点。

살다 (动词) : 사람이 생활을 하다.
生活，过活，过日子
人过生活。

-는 (语尾) : 앞의 말이 관형어의 기능을 하게 만들고 사건이나 동작이 현재 일어남을 나타내는 어미.
无对应词汇
使前面的词具有定语功能，表示事件或动作现在正在发生。

우리 (代词) : 말하는 사람이 자기와 듣는 사람 또는 이를 포함한 여러 사람들을 가리키는 말.
我们，咱们
说话人指代自己和听话人在内的一些人。

들 (词缀) : '복수'의 뜻을 더하는 접미사.
无对应词汇
指"复数"。

만 (助词) : 다른 것은 제외하고 어느 것을 한정함을 나타내는 조사.
无对应词汇
表示排出其他，限定某一个。

어제 (名词) : 오늘의 하루 전날.
昨天，昨日
今天的前一天。

도 (助词) : 둘 이상의 것을 나열함을 나타내는 조사.
无对应词汇
表示同时举出两个以上的事物。

오늘 (名词) : 지금 지나가고 있는 이날.
今天，今日
现在正在度过的这一天。

도 (助词) : 둘 이상의 것을 나열함을 나타내는 조사.
无对应词汇
表示同时举出两个以上的事物。

쉬+ㅁ 없이 돌+고 돌+고 또 돌+아요.
쉼

쉬다 (动词) : 하던 일이나 활동 등을 잠시 멈추다. 또는 그렇게 하다.
暂停，停业，停课
将做着的事或活动等暂时停止；或使其这样。

-ㅁ (语尾) : 앞의 말이 명사의 기능을 하게 하는 어미.
无对应词汇
使前面的词语具有名词功能。

없이 (副词) : 어떤 일이나 증상 등이 나타나지 않게.
没有
某事情或症状不出现地。

돌다 (动词) : 무엇을 중심으로 원을 그리면서 움직이다.
运转，旋转
以某物为中心，呈圆形移动。

-고 (语尾) : 두 가지 이상의 대등한 사실을 나열할 때 쓰는 연결 어미.
无对应词汇
表示罗列两个以上的对等的事实。

돌다 (动词) : 무엇을 중심으로 원을 그리면서 움직이다.
运转，旋转
以某物为中心，呈圆形移动。

-고 (语尾) : 두 가지 이상의 대등한 사실을 나열할 때 쓰는 연결 어미.
无对应词汇
表示罗列两个以上的对等的事实。

또 (副词) : 어떤 일이나 행동이 다시.
又
某件事情或行为再次发生。

돌다 (动词) : 무엇을 중심으로 원을 그리면서 움직이다.
运转，旋转
以某物为中心，呈圆形移动。

-아요 (语尾) : (두루높임으로) 어떤 사실을 서술하거나 질문, 명령, 권유함을 나타내는 종결 어미.
无对应词汇
(普尊) 表示叙述某个事实，或提问、命令、劝说。**<叙述>**

배우+[ㄴ 대로] 남+들+이 시키+[는 대로]

배운 대로

배우다 (动词) : 남의 행동이나 태도를 그대로 따르다.
学习，效仿
模仿别人的行为或态度。

-ㄴ 대로 (表达) : 앞에 오는 말이 뜻하는 과거의 행동이나 상황과 같음을 나타내는 표현.
无对应词汇
表示和前面表达的过去的行动或状况相同。

남 (名词) : 내가 아닌 다른 사람.
别人，他人，人家
除我之外的其他人。

들 (词缀) : '복수'의 뜻을 더하는 접미사.
无对应词汇
指"复数"。

이 (助词) : 어떤 상태나 상황의 대상이나 동작의 주체를 나타내는 조사.
无对应词汇
表示行为的主体或状态描述的对象。

시키다 (动词) : 어떤 일이나 행동을 하게 하다.
让，叫
使做某事或某种行为。

-는 대로 (表达) : 앞에 오는 말이 뜻하는 현재의 행동이나 상황과 같음을 나타내는 표현.
无对应词汇
表示前面所指的内容和现在的行动或状况相同。

그렇+게 사람+들 사이+에 숨+어 살아가+[고 있]+죠.

그렇다 (形容词) : 상태, 모양, 성질 등이 그와 같다.
那样
表示状态、样子、性质等与此相同。

-게 (语尾) : 앞의 말이 뒤에서 가리키는 일의 목적이나 결과, 방식, 정도 등이 됨을 나타내는 연결 어미.
无对应词汇
表示前面的内容为后面所指事情的目的、结果、方式或程度等。**<方式>**

사람 (名词) : 특별히 정해지지 않은 자기 외의 남을 가리키는 말.
人们，大家
对没有特别指定的，自己以外的人的称呼。

들 (词缀) : '복수'의 뜻을 더하는 접미사.
无对应词汇
指"复数"。

사이 (名词) : 한 물체에서 다른 물체까지 또는 한곳에서 다른 곳까지의 거리나 공간.
间，之间，间距
从一个物体到另一个物体，或从一处到另一处的距离或空间。

에 (助词) : 앞말이 어떤 장소나 자리임을 나타내는 조사.
无对应词汇
表示某个处所或地点。

숨다 (动词) : 남이 볼 수 없게 몸을 감추다.
躲藏，隐藏
隐藏身体，使别人看不到。

-어 (语尾) : 앞의 말이 뒤의 말보다 먼저 일어났거나 뒤의 말에 대한 방법이나 수단이 됨을 나타내는 연결 어미.
无对应词汇
表示前句先于后句发生，或表示前句是后句的方法或手段。

살아가다 (动词) : 어떤 종류의 삶이나 시대 등을 견디며 생활해 나가다.
生存，活下去，度日
忍耐着某种生活或时代而过下去。

-고 있다 (表达) : 앞의 말이 나타내는 행동이 계속 진행됨을 나타내는 표현.
正，在，正在
表示持续进行前一句所指的行为。

-죠 (语尾) : (두루높임으로) 말하는 사람이 자신에 대한 이야기나 자신의 생각을 친근하게 말할 때 쓰는 종결 어미.

无对应词汇

(普尊) 表示说话人亲切地说出自己的故事或想法。

그 사이+에 갇히+어 [지지고 볶]+으며 오늘+도 나+는 살아가+[고 있]+네요.
갇혀

그 (冠形词) : 앞에서 이미 이야기한 대상을 가리킬 때 쓰는 말.

那个

指代前面已经讲过的对象。

사이 (名词) : 한 물체에서 다른 물체까지 또는 한곳에서 다른 곳까지의 거리나 공간.

间，之间，间距

从一个物体到另一个物体，或从一处到另一处的距离或空间。

에 (助词) : 앞말이 어떤 장소나 자리임을 나타내는 조사.

无对应词汇

表示某个处所或地点。

갇히다 (动词) : 어떤 공간이나 상황에서 나가지 못하게 되다.

被关，被困

在某个空间或状况里出不去。

-어 (语尾) : 앞의 말이 뒤의 말보다 먼저 일어났거나 뒤의 말에 대한 방법이나 수단이 됨을 나타내는 연결 어미.

无对应词汇

表示前句先于后句发生，或表示前句是后句的方法或手段。

지지고 볶다 (惯用句) : 온갖 것을 겪으며 함께 살아가다.

同甘共苦

经历种种情况，共度一生。

-으며 (语尾) : 두 가지 이상의 동작이나 상태가 함께 일어남을 나타내는 연결 어미.

无对应词汇

表示同时发生两个以上的动作或状态。

오늘 (名词) : 지금 지나가고 있는 이날.

今天，今日

现在正在度过的这一天。

도 (助词) : 이미 있는 어떤 것에 다른 것을 더하거나 포함함을 나타내는 조사.
无对应词汇
表示添加或包括。

나 (代词) : 말하는 사람이 친구나 아랫사람에게 자기를 가리키는 말.
我
说话人在朋友或晚辈面前用来指称自己。

는 (助词) : 문장 속에서 어떤 대상이 화제임을 나타내는 조사.
无对应词汇
表示文中某个对象成为话题。

살아가다 (动词) : 어떤 종류의 삶이나 시대 등을 견디며 생활해 나가다.
生存，活下去，度日
忍耐着某种生活或时代而过下去。

-고 있다 (表达) : 앞의 말이 나타내는 행동이 계속 진행됨을 나타내는 표현.
正，在，正在
经历种种情况，共度一生。

-네요 (表达) : (두루높임으로) 말하는 사람이 직접 경험하여 새롭게 알게 된 사실에 대해 감탄함을 나타낼 때 쓰는 표현.
无对应词汇
(普尊) 表示说话人感叹亲身经历所得知的新事实。

누(구)+가 시키+[는 대로] 살(사)+[는 것]+은 이제 너무 짜증+이 나+(아)요.
누가 사는 것은 나요

누구 (代词) : 굳이 이름을 밝힐 필요가 없는 사람을 가리키는 말.
谁，某某，有人
指无须透露姓名的人。

가 (助词) : 어떤 상태나 상황에 놓인 대상이나 동작의 주체를 나타내는 조사.
无对应词汇
表示行为的主体或状态描述的对象。

시키다 (动词) : 어떤 일이나 행동을 하게 하다.
让，叫
使做某事或某种行为。

-는 대로 (表达) : 앞에 오는 말이 뜻하는 현재의 행동이나 상황과 같음을 나타내는 표현.
无对应词汇
表示前面所指的内容和现在的行动或状况相同。

살다 (动词) : 사람이 생활을 하다.
生活，过活，过日子
人过生活。

-는 것 (表达) : 명사가 아닌 것을 문장에서 명사처럼 쓰이게 하거나 '이다' 앞에 쓰일 수 있게 할 때 쓰는 표현.
无对应词汇
用于使非名词在句中用作名词或使其可出现在"이다"前面。

은 (助词) : 문장 속에서 어떤 대상이 화제임을 나타내는 조사.
无对应词汇
表示某个对象是句中的话题。

이제 (副词) : 지금의 시기가 되어.
这就
到此时。

너무 (副词) : 일정한 정도나 한계를 훨씬 넘어선 상태로.
太
已超过一定的程度或限度的状态。

짜증 (名词) : 마음에 들지 않아서 화를 내거나 싫은 느낌을 겉으로 드러내는 일. 또는 그런 성미.
心烦，厌烦，闹心
由于不满意而发火或把厌恶之情表露于外；或指那样的性格。

이 (助词) : 어떤 상태나 상황의 대상이나 동작의 주체를 나타내는 조사.
无对应词汇
表示行为的主体或状态描述的对象。

나다 (动词) : 어떤 감정이나 느낌이 생기다.
生，产生
出现某种情感或感觉。

-아요 (语尾) : (두루높임으로) 어떤 사실을 서술하거나 질문, 명령, 권유함을 나타내는 종결 어미.
无对应词汇
(普尊) 表示叙述某个事实，或提问、命令、劝说。**<叙述>**

바라+고 원하+는 생각+들+을 하늘 너머+로 떠나보내+(어)요.

떠나보내요

바라다 (动词) : 생각이나 희망대로 어떤 일이 이루어지기를 기대하다.
期待，盼望
希望事情按照某种想法或愿望得以实现。

-고 (语尾) : 두 가지 이상의 대등한 사실을 나열할 때 쓰는 연결 어미.
无对应词汇
表示罗列两个以上的对等的事实。

원하다 (动词) : 무엇을 바라거나 하고자 하다.
希望，想要
期望或想做。

-는 (语尾) : 앞의 말이 관형어의 기능을 하게 만들고 사건이나 동작이 현재 일어남을 나타내는 어미.
无对应词汇
使前面的词具有定语功能，表示事件或动作现在正在发生。

생각 (名词) : 사람이 머리를 써서 판단하거나 인식하는 것.
想，思考
人动脑子后做出判断或认知。

들 (词缀) : '복수'의 뜻을 더하는 접미사.
无对应词汇
指"复数"。

을 (助词) : 동작이 직접적으로 영향을 미치는 대상을 나타내는 조사.
无对应词汇
表示动作直接涉及的对象。

하늘 (名词) : 땅 위로 펼쳐진 무한히 넓은 공간.
天空
地面上无限伸展的空间。

너머 (名词) : 경계나 가로막은 것을 넘어선 건너편.
那边，后面
跨越界线或阻隔物的对面。

로 (助词) : 움직임의 방향을 나타내는 조사.
无对应词汇
表示移动的方向。

떠나보내다 (动词) : 있던 곳을 떠나 다른 곳으로 가게 하다.
送走，送别，打发走
使离开原来的地方，前往其他地方。

-어요 (语尾) : (두루높임으로) 어떤 사실을 서술하거나 질문, 명령, 권유함을 나타내는 종결 어미.
无对应词汇
(普尊) 表示叙述某个事实，或提问、命令、劝说。**<劝导>**

우리 모두 거기+서 자유롭+게 살+[아 보]+아요.
살아 봐요

우리 (代词) : 말하는 사람이 자기와 듣는 사람 또는 이를 포함한 여러 사람들을 가리키는 말.
我们，咱们
说话人指代自己和听话人在内的一些人。

모두 (副词) : 빠짐없이 다.
都，全
一个不漏，全都。

거기 (代词) : 앞에서 이미 이야기한 곳을 가리키는 말.
那儿，那里
指代前面已经讲过的地方。

서 (助词) : 앞말이 행동이 이루어지고 있는 장소임을 나타내는 조사.
无对应词汇
表示前面的内容为动作进行的地点。

자유롭다 (形容词) : 무엇에 얽매이거나 구속되지 않고 자기 생각과 의지대로 할 수 있다.
自由，自由自在
不受拘束或限制，随心所欲。

-게 (语尾) : 앞의 말이 뒤에서 가리키는 일의 목적이나 결과, 방식, 정도 등이 됨을 나타내는 연결 어미.
无对应词汇
表示前面的内容为后面所指事情的目的、结果、方式或程度等。**<方式>**

살다 (动词) : 사람이 생활을 하다.
生活，过活，过日子
人过生活。

-아 보다 (表达) : 앞의 말이 나타내는 행동을 시험 삼아 함을 나타내는 표현.
无对应词汇
表示试着做前面所指的行动。

-아요 (语尾) : (두루높임으로) 어떤 사실을 서술하거나 질문, 명령, 권유함을 나타내는 종결 어미.
无对应词汇
(普尊) 表示叙述某个事实，或提问、命令、劝说。**<劝导>**

< 후렴(副歌) >

이제+부터+는 지금+부터+는

이제 (名词) : 지금의 시기.
现在
当下的时期。

부터 (助词) : 어떤 일의 시작이나 처음을 나타내는 조사.
从
表示某事的开始或起始。

는 (助词) : 어떤 대상이 다른 것과 대조됨을 나타내는 조사.
无对应词汇
表示某个对象与另一个形成对照。

지금 (名词) : 말을 하고 있는 바로 이때.
现在
指正在说话的此时。

부터 (助词) : 어떤 일의 시작이나 처음을 나타내는 조사.
从
表示某事的开始或起始。

는 (助词) : 어떤 대상이 다른 것과 대조됨을 나타내는 조사.
无对应词汇
表示某个对象与另一个形成对照。

이제+부터+는 지금+부터+는

이제 (名词) : 지금의 시기.
现在
当下的时期。

부터 (助词) : 어떤 일의 시작이나 처음을 나타내는 조사.
从
表示某事的开始或起始。

는 (助词) : 어떤 대상이 다른 것과 대조됨을 나타내는 조사.
无对应词汇
表示某个对象与另一个形成对照。

지금 (名词) : 말을 하고 있는 바로 이때.
现在
指正在说话的此时。

부터 (助词) : 어떤 일의 시작이나 처음을 나타내는 조사.
从
表示某事的开始或起始。

는 (助词) : 어떤 대상이 다른 것과 대조됨을 나타내는 조사.
无对应词汇
表示某个对象与另一个形成对照。

가슴+이 시키+[는 대로] 살+[아 보]+아요.
살아 봐요

가슴 (名词) : 마음이나 느낌.
心，心情，内心
心理或感受。

이 (助词) : 어떤 상태나 상황의 대상이나 동작의 주체를 나타내는 조사.
无对应词汇
表示行为的主体或状态描述的对象。

시키다 (动词) : 어떤 일이나 행동을 하게 하다.
让，叫
使做某事或某种行为。

-는 대로 (表达) : 앞에 오는 말이 뜻하는 현재의 행동이나 상황과 같음을 나타내는 표현.
无对应词汇
表示前面所指的内容和现在的行动或状况相同。

살다 (动词) : 사람이 생활을 하다.
生活，过活，过日子
人过生活。

-아 보다 (表达) : 앞의 말이 나타내는 행동을 시험 삼아 함을 나타내는 표현.
无对应词汇
表示试着做前面所指的行动。

-아요 (语尾) : (두루높임으로) 어떤 사실을 서술하거나 질문, 명령, 권유함을 나타내는 종결 어미.
无对应词汇
(普尊) 表示叙述某个事实，或提问、命令、劝说。<劝导>

이제+부터+는 지금+부터+는

이제 (名词) : 지금의 시기.
现在
当下的时期。

부터 (助词) : 어떤 일의 시작이나 처음을 나타내는 조사.
从
表示某事的开始或起始。

는 (助词) : 어떤 대상이 다른 것과 대조됨을 나타내는 조사.
无对应词汇
表示某个对象与另一个形成对照。

지금 (名词) : 말을 하고 있는 바로 이때.
现在
指正在说话的此时。

부터 (助词) : 어떤 일의 시작이나 처음을 나타내는 조사.
从
表示某事的开始或起始。

는 (助词) : 어떤 대상이 다른 것과 대조됨을 나타내는 조사.
无对应词汇
表示某个对象与另一个形成对照。

가슴+이 느끼+[는 대로] 자유롭+게

가슴 (名词) : 마음이나 느낌.
心，心情，内心
心理或感受。

이 (助词) : 어떤 상태나 상황의 대상이나 동작의 주체를 나타내는 조사.
无对应词汇
表示行为的主体或状态描述的对象。

느끼다 (动词) : 특정한 대상이나 상황을 어떻다고 생각하거나 인식하다.
认为，觉得，感到
感觉或认识到特定的对象或情况如何。

-는 대로 (表达) : 앞에 오는 말이 뜻하는 현재의 행동이나 상황과 같음을 나타내는 표현.
无对应词汇
表示前面所指的内容和现在的行动或状况相同。

자유롭다 (形容词) : 무엇에 얽매이거나 구속되지 않고 자기 생각과 의지대로 할 수 있다.
自由，自由自在
不受拘束或限制，随心所欲。

-게 (语尾) : 앞의 말이 뒤에서 가리키는 일의 목적이나 결과, 방식, 정도 등이 됨을 나타내는 연결 어미.
无对应词汇
表示前面的内容为后面所指事情的目的、结果、方式或程度等。

이제+부터+는 지금+부터+는

이제 (名词) : 지금의 시기.
现在
当下的时期。

부터 (助词) : 어떤 일의 시작이나 처음을 나타내는 조사.
从
表示某事的开始或起始。

는 (助词) : 어떤 대상이 다른 것과 대조됨을 나타내는 조사.
无对应词汇
表示某个对象与另一个形成对照。

지금 (名词) : 말을 하고 있는 바로 이때.
现在
指正在说话的此时。

부터 (助词) : 어떤 일의 시작이나 처음을 나타내는 조사.
从
表示某事的开始或起始。

는 (助词) : 어떤 대상이 다른 것과 대조됨을 나타내는 조사.
无对应词汇
表示某个对象与另一个形成对照。

(우리 모두 거기+서)

우리 (代词) : 말하는 사람이 자기와 듣는 사람 또는 이를 포함한 여러 사람들을 가리키는 말.
我们，咱们
说话人指代自己和听话人在内的一些人。

모두 (副词) : 빠짐없이 다.
都，全
一个不漏，全都。

거기 (代词) : 앞에서 이미 이야기한 곳을 가리키는 말.
那儿，那里
指代前面已经讲过的地方。

서 (助词) : 앞말이 행동이 이루어지고 있는 장소임을 나타내는 조사.
无对应词汇
表示前面的内容为动作进行的地点。

가슴+이 시키+[는 대로] 살+[아 보]+아요.
살아 봐요

가슴 (名词) : 마음이나 느낌.
心，心情，内心
心理或感受。

이 (助词) : 어떤 상태나 상황의 대상이나 동작의 주체를 나타내는 조사.
无对应词汇
表示行为的主体或状态描述的对象。

시키다 (动词) : 어떤 일이나 행동을 하게 하다.
让，叫
使做某事或某种行为。

-는 대로 (表达) : 앞에 오는 말이 뜻하는 현재의 행동이나 상황과 같음을 나타내는 표현.
无对应词汇
表示前面所指的内容和现在的行动或状况相同。

살다 (动词) : 사람이 생활을 하다.
生活，过活，过日子
人过生活。

-아 보다 (表达) : 앞의 말이 나타내는 행동을 시험 삼아 함을 나타내는 표현.
无对应词汇
表示试着做前面所指的行动。

-아요 (语尾) : (두루높임으로) 어떤 사실을 서술하거나 질문, 명령, 권유함을 나타내는 종결 어미.
无对应词汇
(普尊) 表示叙述某个事实，或提问、命令、劝说。**<劝导>**

(자유롭+게 살+아요)

자유롭다 (形容词) : 무엇에 얽매이거나 구속되지 않고 자기 생각과 의지대로 할 수 있다.
自由，自由自在
不受拘束或限制，随心所欲。

-게 (语尾) : 앞의 말이 뒤에서 가리키는 일의 목적이나 결과, 방식, 정도 등이 됨을 나타내는 연결 어미.
无对应词汇
表示前面的内容为后面所指事情的目的、结果、方式或程度等。

살다 (动词) : 사람이 생활을 하다.
生活，过活，过日子
人过生活。

-아요 (语尾) : (두루높임으로) 어떤 사실을 서술하거나 질문, 명령, 권유함을 나타내는 종결 어미.
无对应词汇
(普尊) 表示叙述某个事实，或提问、命令、劝说。**<劝导>**

이제+부터+는 지금+부터+는

이제 (名词) : 지금의 시기.
现在
当下的时期。

부터 (助词) : 어떤 일의 시작이나 처음을 나타내는 조사.
从
表示某事的开始或起始。

는 (助词) : 어떤 대상이 다른 것과 대조됨을 나타내는 조사.
无对应词汇
表示某个对象与另一个形成对照。

지금 (名词) : 말을 하고 있는 바로 이때.
现在
指正在说话的此时。

부터 (助词) : 어떤 일의 시작이나 처음을 나타내는 조사.
从
表示某事的开始或起始。

는 (助词) : 어떤 대상이 다른 것과 대조됨을 나타내는 조사.
无对应词汇
表示某个对象与另一个形成对照。

(우리 모두 거기+서)

우리 (代词) : 말하는 사람이 자기와 듣는 사람 또는 이를 포함한 여러 사람들을 가리키는 말.
我们，咱们
说话人指代自己和听话人在内的一些人。

모두 (副词) : 빠짐없이 다.
都，全
一个不漏，全都。

거기 (代词) : 앞에서 이미 이야기한 곳을 가리키는 말.
那儿，那里
指代前面已经讲过的地方。

서 (助词) : 앞말이 행동이 이루어지고 있는 장소임을 나타내는 조사.
无对应词汇
表示前面的内容为动作进行的地点。

가슴+이 느끼+[는 대로] 자유롭+게

가슴 (名词) : 마음이나 느낌.
心，心情，内心
心理或感受。

이 (助词) : 어떤 상태나 상황의 대상이나 동작의 주체를 나타내는 조사.
无对应词汇
表示行为的主体或状态描述的对象。

느끼다 (动词) : 특정한 대상이나 상황을 어떻다고 생각하거나 인식하다.
认为，觉得，感到
感觉或认识到特定的对象或情况如何。

-는 대로 (表达) : 앞에 오는 말이 뜻하는 현재의 행동이나 상황과 같음을 나타내는 표현.
无对应词汇
表示前面所指的内容和现在的行动或状况相同。

자유롭다 (形容词) : 무엇에 얽매이거나 구속되지 않고 자기 생각과 의지대로 할 수 있다.
自由，自由自在
不受拘束或限制，随心所欲。

-게 (语尾) : 앞의 말이 뒤에서 가리키는 일의 목적이나 결과, 방식, 정도 등이 됨을 나타내는 연결 어미.
无对应词汇
表示前面的内容为后面所指事情的目的、结果、方式或程度等。

(자유롭+게)

자유롭다 (形容词) : 무엇에 얽매이거나 구속되지 않고 자기 생각과 의지대로 할 수 있다.
自由，自由自在
不受拘束或限制，随心所欲。

-게 (语尾) : 앞의 말이 뒤에서 가리키는 일의 목적이나 결과, 방식, 정도 등이 됨을 나타내는 연결 어미.
无对应词汇
表示前面的内容为后面所指事情的目的、结果、方式或程度等。

그런 사람+이+었+어요.

그런 (冠形词) : 상태, 모양, 성질 등이 그러한.
那种，那样
状态、模样、性质等那个样子的。

사람 (名词) : 생각할 수 있으며 언어와 도구를 만들어 사용하고 사회를 이루어 사는 존재.
人
可以思考，会制造并使用语言和工具、构成社会而生活的存在。

이다 (助词) : 주어가 지시하는 대상의 속성이나 부류를 지정하는 뜻을 나타내는 서술격 조사.
无对应词汇
表示指定主语所指示的属性或类型。

-었- (语尾) : 어떤 사건이 과거에 완료되었거나 그 사건의 결과가 현재까지 지속되는 상황을 나타내는 어미.
无对应词汇
表示某一事件已结束或其结果保持到现在。

-어요 (语尾) : (두루높임으로) 어떤 사실을 서술하거나 질문, 명령, 권유함을 나타내는 종결 어미.
无对应词汇
(普尊) 表示叙述某个事实，或提问、命令、劝说。**<叙述>**

그런 인생+이+었+어요.

그런 (冠形词) : 상태, 모양, 성질 등이 그러한.
那种，那样
状态、模样、性质等那个样子的。

인생 (名词) : 사람이 세상을 살아가는 일.
人生
人在世上生活的事。

이다 (助词) : 주어가 지시하는 대상의 속성이나 부류를 지정하는 뜻을 나타내는 서술격 조사.
无对应词汇
表示指定主语所指示的属性或类型。

-었- (语尾) : 어떤 사건이 과거에 완료되었거나 그 사건의 결과가 현재까지 지속되는 상황을 나타내는 어미.
无对应词汇
表示某一事件已结束或其结果保持到现在。

-어요 (语尾) : (두루높임으로) 어떤 사실을 서술하거나 질문, 명령, 권유함을 나타내는 종결 어미.
无对应词汇
(普尊) 表示叙述某个事实，或提问、命令、劝说。**<叙述>**

그렇+게 기억하+[여 주]+어요.

기억해 줘요

그렇다 (形容词) : 상태, 모양, 성질 등이 그와 같다.
那样
表示状态、样子、性质等与此相同。

-게 (语尾) : 앞의 말이 뒤에서 가리키는 일의 목적이나 결과, 방식, 정도 등이 됨을 나타내는 연결 어미.
无对应词汇
表示前面的内容为后面所指事情的目的、结果、方式或程度等。**<方式>**

기억하다 (动词) : 이전의 모습, 사실, 지식, 경험 등을 잊지 않거나 다시 생각해 내다.
记着，记住
不忘记或重新想起以前的模样、事实、知识、经验等。

-여 주다 (表达) : 남을 위해 앞의 말이 나타내는 행동을 함을 나타내는 표현.
给
表示为别人做前面表达的行动。

-어요 (语尾) : (두루높임으로) 어떤 사실을 서술하거나 질문, 명령, 권유함을 나타내는 종결 어미.
无对应词汇
(普尊) 表示叙述某个事实，或提问、命令、劝说。**<命令>**

< 6 >

독주
(烈酒)

[발음(发音)]

< 1 절(节) >

누구라도 한 잔 술을 따라 줘요
누구라도 한 잔 수를 따라 줘요
nugurado han jan sureul ttara jwoyo

비우고 싶은 것이 많아서
비우고 시픈 거시 마나서
biugo sipeun geosi manaseo

이 한 잔 마시고 나면 잊을 수 있을까요?
이 한 잔 마시고 나면 이즐 쑤 이쓸까요?
i han jan masigo namyeon ijeul su isseulkkayo?

버리고 싶은 것이 가득해서
버리고 시픈 거시 가드캐서
beorigo sipeun geosi gadeukaeseo

뜨거웠던 가슴, 마지막 온기가 사라지기 전에
뜨거월떤 가슴, 마지막 온기가 사라지기 저네
tteugeowotdeon gaseum, majimak ongiga sarajigi jeone

누구라도 독한 술 한 잔 따라 줘요.
누구라도 도칸 술 한 잔 따라 줘요.
nugurado dokan sul han jan ttara jwoyo.

< 후렴(副歌) >

이제부터 하얀 여백에 가득 찬
이제부터 하얀 여배게 가득 찬
ijebuteo hayan yeobaege gadeuk chan

내가 모르는 나를 지울 거예요
내가 모르는 나를 지울 꺼예요
naega moreuneun nareul jiul geoyeyo

오늘은 꼭 당신이 따라 준
오느른 꼭 당시니 따라 준
oneureun kkok dangsini ttara jun

한 잔의 가득한 독주를 비울 거예요.
한 자네 가드칸 독쭈를 비울 꺼예요.
han jane gadeukan dokjureul biul geoyeyo.

< 2 절(节) >

누구라도 술 한 잔 따라 줘요
누구라도 술 한 잔 따라 줘요
nugurado sul han jan ttara jwoyo

추억에 취해 비틀거리기 전에
추어게 취해 비틀거리기 저네
chueoge chwihae biteulgeorigi jeone

이 한 잔 마시고 나면 지울 수 있을까요?
이 한 잔 마시고 나면 지울 쑤 이쓸까요?
i han jan masigo namyeon jiul su isseulkkayo?

그리움에 취해 잠들기 전에
그리우메 취해 잠들기 저네
geuriume chwihae jamdeulgi jeone

아직 어제를 살고 있는 이 꿈속에서 깨지 않도록
아직 어제를 살고 인는 이 꿈쏘게서 깨지 안토록
ajik eojereul salgo inneun i kkumsogeseo kkaeji antorok

누구라도 지독한 술 한 잔 따라 줘요.
누구라도 지도칸 술 한 잔 따라 줘요.
nugurado jidokan sul han jan ttara jwoyo.

< 후렴(副歌) >

이제부터 하얀 여백에 가득 찬
이제부터 하얀 여배게 가득 찬
ijebuteo hayan yeobaege gadeuk chan

내가 모르는 나를 지울 거예요
내가 모르는 나를 지울 꺼예요
naega moreuneun nareul jiul geoyeyo

오늘은 꼭 당신이 따라 준
오느른 꼭 당시니 따라 준
oneureun kkok dangsini ttara jun

한 잔의 가득한 독주를 비울 거예요.
한 자네 가드칸 독쭈를 비울 꺼예요.
han jane gadeukan dokjureul biul geoyeyo.

이제부터 하얀 여백에 가득 찬
이제부터 하얀 여배게 가득 찬
ijebuteo hayan yeobaege gadeuk chan

내가 모르는 나를 지울 거예요
내가 모르는 나를 지울 꺼예요
naega moreuneun nareul jiul geoyeyo

오늘은 꼭 당신이 따라 준
오느른 꼭 당시니 따라 준
oneureun kkok dangsini ttara jun

한 잔의 가득한 독주를 비울 거예요.
한 자네 가드칸 독쭈를 비울 꺼예요.
han jane gadeukan dokjureul biul geoyeyo.

< 1 절(节) >

누구+라도 한 잔 술+을 따르(따ㄹ)+[아 주]+어요.

따라 줘요

누구 (代词) : 정해지지 않은 어떤 사람을 가리키는 말.
谁都，无论是谁
指尚未确定的人。

라도 (助词) : 그것이 최선은 아니나 여럿 중에서는 그런대로 괜찮음을 나타내는 조사.
无对应词汇
表示虽不是最佳，但在几个当中算是不错的。

한 (冠形词) : 하나의.
一
一个的。

잔 (名词) : 음료나 술 등을 담은 그릇을 기준으로 그 분량을 세는 단위.
杯
以盛饮料、酒等的器具为标准，数其数量的单位。

술 (名词) : 맥주나 소주 등과 같이 알코올 성분이 들어 있어서 마시면 취하는 음료.
酒
像啤酒或烧酒等那样含有酒精成分、喝后会醉的饮料。

을 (助词) : 동작이 직접적으로 영향을 미치는 대상을 나타내는 조사.
无对应词汇
表示动作直接涉及的对象。

따르다 (动词) : 액체가 담긴 물건을 기울여 액체를 밖으로 조금씩 흐르게 하다.
倒
倾斜装有液体的容器，使液体一点点流出来。

-아 주다 (表达) : 남을 위해 앞의 말이 나타내는 행동을 함을 나타내는 표현.
给
表示为别人做前面表达的行为。

-어요 (语尾) : (두루높임으로) 어떤 사실을 서술하거나 질문, 명령, 권유함을 나타내는 종결 어미.
无对应词汇
(普尊) 表示叙述某个事实，或提问、命令、劝说。**<命令>**

비우+[고 싶]+[은 것]+이 많+아서

비우다 (动词) : 욕심이나 집착을 버리다.
放下，去掉
丢弃欲望或执念。

-고 싶다 (表达) : 앞의 말이 나타내는 행동을 하기를 원함을 나타내는 표현.
想，要
表示有做前面行动的意愿。

-은 것 (表达) : 명사가 아닌 것을 문장에서 명사처럼 쓰이게 하거나 '이다' 앞에 쓰일 수 있게 할 때 쓰는 표현.
无对应词汇
用于使非名词在句中用作名词，或使其可出现在"이다"前面。

이 (助词) : 어떤 상태나 상황의 대상이나 동작의 주체를 나타내는 조사.
无对应词汇
表示行为的主体或状态描述的对象。

많다 (形容词) : 수나 양, 정도 등이 일정한 기준을 넘다.
多，丰富，强
数、量、程度等超过一定标准。

-아서 (语尾) : 이유나 근거를 나타내는 연결 어미.
无对应词汇
表示理由或根据。

이 한 잔 마시+[고 나]+면 잊+[을 수 있]+을까요?

이 (冠形词) : 바로 앞에서 이야기한 대상을 가리킬 때 쓰는 말.
这
用于指示刚才所说的对象。

한 (冠形词) : 하나의.
一
一个的。

잔 (名词) : 음료나 술 등을 담은 그릇을 기준으로 그 분량을 세는 단위.
杯
以盛饮料、酒等的器具为标准，数其数量的单位。

마시다 (动词) : 물 등의 액체를 목구멍으로 넘어가게 하다.
喝，饮
使水等液体流入喉咙。

-고 나다 (表达) : 앞에 오는 말이 나타내는 행동이 끝났음을 나타내는 표현.
无对应词汇
表示前面表达的行动已经结束。

-면 (语尾) : 뒤에 오는 말에 대한 근거나 조건이 됨을 나타내는 연결 어미.
无对应词汇
表示前句为后句的根据或条件。

잊다 (动词) : 어려움이나 고통, 또는 좋지 않은 지난 일을 마음속에 두지 않거나 신경 쓰지 않다.
忘掉，不顾
苦难、痛苦或不好的往事等不放在心上或不在意。

-을 수 있다 (表达) : 어떤 행동이나 상태가 가능함을 나타내는 표현.
无对应词汇
表示某种行为或状态有可能发生。

-을까요 (表达) : (두루높임으로) 아직 일어나지 않았거나 모르는 일에 대해서 말하는 사람이 추측하며 질문할 때 쓰는 표현.
无对应词汇
(普尊) 表示说话人推测并询问还没发生或不知道的事情。

버리+[고 싶]+[은 것]+이 가득하+여서
가득해서

버리다 (动词) : 마음속에 가졌던 생각을 스스로 잊다.
放弃，放下
自己忘掉内心的想法。

-고 싶다 (表达) : 앞의 말이 나타내는 행동을 하기를 원함을 나타내는 표현.
想，要
表示有做前面行动的意愿。

-은 것 (表达) : 명사가 아닌 것을 문장에서 명사처럼 쓰이게 하거나 '이다' 앞에 쓰일 수 있게 할 때 쓰는 표현.
无对应词汇
用于使非名词在句中用作名词，或使其可出现在"이다"前面。

이 (助词) : 어떤 상태나 상황의 대상이나 동작의 주체를 나타내는 조사.
无对应词汇
表示行为的主体或状态描述的对象。

가득하다 (形容词) : 어떤 감정이나 생각이 강하다.
满满，充满
某种感情或想法很强烈。

-여서 (语尾) : 이유나 근거를 나타내는 연결 어미.
无对应词汇
表示理由或根据。

<u>뜨겁(뜨거우)+었던</u> 가슴, 마지막 온기+가 사라지+[기 전에]
뜨거웠던

뜨겁다 (形容词) : (비유적으로) 감정이나 열정 등이 격렬하고 강하다.
火热，炙热
(喻义) 情感或激情等非常强烈。

-었던 (表达) : 과거의 사건이나 상태를 다시 떠올리거나 그 사건이나 상태가 완료되지 않고 중단되었다는 의미를 나타내는 표현.
无对应词汇
表示回顾过去的事件或状态，或指该事件或状态结束之前就已经中断。

가슴 (名词) : 마음이나 느낌.
心，心情，内心
心理或感受。

마지막 (名词) : 시간이나 순서의 맨 끝.
最后，最终，末了
在时间上或次序上的末尾。

온기 (名词) : (비유적으로) 다정하거나 따뜻하게 베푸는 분위기나 마음.
温气
(喻义)多情或温暖地施与的气氛或内心。

가 (助词) : 어떤 상태나 상황에 놓인 대상이나 동작의 주체를 나타내는 조사.
无对应词汇
表示行为的主体或状态描述的对象。

사라지다 (动词) : 생각이나 감정 등이 없어지다.
消失，消灭，泯灭
想法或感情等不再存在。

-기 전에 (表达) : 뒤에 오는 말이 나타내는 행동이 앞에 오는 말이 나타내는 행동보다 앞서는 것을 나타내는 표현.
无对应词汇
表示后句所指的动作先于前句所指动作。

누구+라도 <u>독하+ㄴ</u> 술 한 잔 <u>따르(따ㄹ)+[아 주]+어요</u>.
독한 따라 줘요

누구 (代词) : 정해지지 않은 어떤 사람을 가리키는 말.
谁都，无论是谁
指尚未确定的人。

라도 (助词) : 그것이 최선은 아니나 여럿 중에서는 그런대로 괜찮음을 나타내는 조사.
无对应词汇
表示虽不是最佳，但在几个当中算是不错的。

독하다 (形容词) : 맛이나 냄새 등이 지나치게 자극적이다.
冲，浓烈
味道或气味等过分地刺激。

-ㄴ (语尾) : 앞의 말이 관형어의 기능을 하게 만들고 현재의 상태를 나타내는 어미.
无对应词汇
使前面的词具有定语功能，表示现在的状态。

술 (名词) : 맥주나 소주 등과 같이 알코올 성분이 들어 있어서 마시면 취하는 음료.
酒
像啤酒或烧酒等那样含有酒精成分、喝后会醉的饮料。

한 (冠形词) : 하나의.
一
一个的。

잔 (名词) : 음료나 술 등을 담은 그릇을 기준으로 그 분량을 세는 단위.
杯
以盛饮料、酒等的器具为标准，数其数量的单位。

따르다 (动词) : 액체가 담긴 물건을 기울여 액체를 밖으로 조금씩 흐르게 하다.
倒
倾斜装有液体的容器，使液体一点点流出来。

-아 주다 (表达) : 남을 위해 앞의 말이 나타내는 행동을 함을 나타내는 표현.
給
表示为别人做前面表达的行为。

-어요 (语尾) : (두루높임으로) 어떤 사실을 서술하거나 질문, 명령, 권유함을 나타내는 종결 어미.
无对应词汇
(普尊) 表示叙述某个事实，或提问、命令、劝说。**<命令>**

< 후렴(副歌) >

이제+부터 하얗(하야)+ㄴ 여백+에 가득 차+ㄴ
하얀 찬

이제 (名词) : 말하고 있는 바로 이때.
现在
说话的同时。

부터 (助词) : 어떤 일의 시작이나 처음을 나타내는 조사.
从
助词。表示某事的开始或起始。

하얗다 (形容词) : 눈이나 우유의 빛깔과 같이 밝고 선명하게 희다.
白
和雪或牛奶一样白得鲜明。

-ㄴ (语尾) : 앞의 말이 관형어의 기능을 하게 만들고 현재의 상태를 나타내는 어미.
无对应词汇
使前面的词具有定语功能，表示现在的状态。

여백 (名词) : 종이 등에 글씨를 쓰거나 그림을 그리고 남은 빈 자리.
余白
在纸张等写字或画画后留下的空白处。

에 (助词) : 앞말이 어떤 장소나 자리임을 나타내는 조사.
无对应词汇
表示某个处所或地点。

가득 (副词) : 어떤 감정이나 생각이 강한 모양.
充满，满满地
某种感情或想法非常强烈的样子。

차다 (动词) : 감정이나 느낌 등이 가득하게 되다.
充满，饱含，洋溢
满怀感情或感受等。

-ㄴ (语尾) : 앞의 말이 관형어의 기능을 하게 만들고 사건이나 동작이 완료되어 그 상태가 유지되고 있음을 나타내는 어미.
无对应词汇
使前面的词具有定语功能，表示事件或动作完成后其状态一直持续。

내+가 모르+는 나+를 지우+[ㄹ 것(거)]+이+에요.
지울 거예요

내 (代词) : '나'에 조사 '가'가 붙을 때의 형태.
我
"나(我)"后面加助词"가(表示动作主体)"时的形态。

가 (助词) : 어떤 상태나 상황에 놓인 대상이나 동작의 주체를 나타내는 조사.
无对应词汇
表示行为的主体或状态描述的对象。

모르다 (动词) : 사람이나 사물, 사실 등을 알지 못하거나 이해하지 못하다.
不知道，不认识，不懂
不清楚或不了解人或事物、事实等。

-는 (语尾) : 앞의 말이 관형어의 기능을 하게 만들고 사건이나 동작이 현재 일어남을 나타내는 어미.
无对应词汇
使前面的词具有定语功能，表示事件或动作现在正在发生。

나 (代词) : 말하는 사람이 친구나 아랫사람에게 자기를 가리키는 말.
我
说话人在朋友或晚辈面前用来指称自己。

를 (助词) : 동작이 직접적으로 영향을 미치는 대상을 나타내는 조사.
无对应词汇
表示动作直接涉及的对象。

지우다 (动词) : 생각이나 기억을 없애거나 잊다.
打消，抹掉
抹除想法或忘掉记忆。

-ㄹ 것 (表达) : 명사가 아닌 것을 문장에서 명사처럼 쓰이게 하거나 '이다' 앞에 쓰일 수 있게 할 때 쓰는 표현.
无对应词汇
用于使非名词在句中用作名词或使其能用在"이다"前面。

이다 (助词) : 주어가 지시하는 대상의 속성이나 부류를 지정하는 뜻을 나타내는 서술격 조사.
无对应词汇
表示指定主语所指示的属性或类型。

-에요 (语尾) : (두루높임으로) 어떤 사실을 서술하거나 질문함을 나타내는 종결 어미.
无对应词汇
(普尊) 表示叙述或询问某个事实。**<叙述>**

오늘+은 꼭 당신+이 <u>따르(따르)+[아 주]+ㄴ</u>
따라 준

오늘 (名词) : 지금 지나가고 있는 이날.
今天，今日
现在正在度过的这一天。

은 (助词) : 문장 속에서 어떤 대상이 화제임을 나타내는 조사.
无对应词汇
表示某个对象是句中的话题。

꼭 (副词) : 어떤 일이 있어도 반드시.
一定，必定
无论有什么事情也务必。

당신 (代词) : (조금 높이는 말로) 듣는 사람을 가리키는 말.
您
(略敬)指代听话人。

이 (助词) : 어떤 상태나 상황의 대상이나 동작의 주체를 나타내는 조사.
无对应词汇
表示行为的主体或状态描述的对象。

따르다 (动词) : 액체가 담긴 물건을 기울여 액체를 밖으로 조금씩 흐르게 하다.
倒
倾斜装有液体的容器，使液体一点点流出来。

-아 주다 (表达) : 남을 위해 앞의 말이 나타내는 행동을 함을 나타내는 표현.
给
表示为别人做前面表达的行为。

-ㄴ (语尾) : 앞의 말이 관형어의 기능을 하게 만들고 사건이나 동작이 완료되어 그 상태가 유지되고 있음을 나타내는 어미.
无对应词汇
使前面的词具有定语功能，表示事件或动作完成后其状态一直持续。

한 잔+의 가득하+ㄴ 독주+를 비우+[ㄹ 것(거)]+이+에요.
가득한 비울 거예요

한 (冠形词) : 하나의.
一
一个的。

잔 (名词) : 음료나 술 등을 담은 그릇을 기준으로 그 분량을 세는 단위.
杯
以盛饮料、酒等的器具为标准，数其数量的单位。

의 (助词) : 앞의 말이 뒤의 말에 대하여 속성이나 수량을 한정하거나 같은 자격임을 나타내는 조사.
无对应词汇
表示限定属性或数量，或相同资格。

가득하다 (形容词) : 양이나 수가 정해진 범위에 꽉 차 있다.
满满
量或数最大限度地到达既定范围。

-ㄴ (语尾) : 앞의 말이 관형어의 기능을 하게 만들고 현재의 상태를 나타내는 어미.
无对应词汇
使前面的词具有定语功能，表示现在的状态。

독주 (名词) : 매우 독한 술.
烈酒
含酒精度高、性质猛烈的酒。

를 (助词) : 동작이 직접적으로 영향을 미치는 대상을 나타내는 조사.
无对应词汇
表示动作直接涉及的对象。

비우다 (动词) : 안에 든 것을 없애 속을 비게 하다.
清空
将内部的东西清除腾空。

-ㄹ 것 (表达) : 명사가 아닌 것을 문장에서 명사처럼 쓰이게 하거나 '이다' 앞에 쓰일 수 있게 할 때 쓰는 표현.
无对应词汇
用于使非名词在句中用作名词或使其能用在“이다”前面。

이다 (助词) : 주어가 지시하는 대상의 속성이나 부류를 지정하는 뜻을 나타내는 서술격 조사.
无对应词汇
表示指定主语所指示的属性或类型。

-에요 (语尾) : (두루높임으로) 어떤 사실을 서술하거나 질문함을 나타내는 종결 어미.
无对应词汇
(普尊) 表示叙述或询问某个事实。**<叙述>**

< 2 절(节) >

누구+라도 술 한 잔 따르(따르)+[아 주]+어요.

따라 줘요

누구 (代词) : 정해지지 않은 어떤 사람을 가리키는 말.
谁都，无论是谁
指尚未确定的人。

라도 (助词) : 그것이 최선은 아니나 여럿 중에서는 그런대로 괜찮음을 나타내는 조사.
无对应词汇
表示虽不是最佳，但在几个当中算是不错的。

술 (名词) : 맥주나 소주 등과 같이 알코올 성분이 들어 있어서 마시면 취하는 음료.
酒
像啤酒或烧酒等那样含有酒精成分、喝后会醉的饮料。

한 (冠形词) : 하나의.
一
一个的。

잔 (名词) : 음료나 술 등을 담은 그릇을 기준으로 그 분량을 세는 단위.
杯
以盛饮料、酒等的器具为标准，数其数量的单位。

따르다 (动词) : 액체가 담긴 물건을 기울여 액체를 밖으로 조금씩 흐르게 하다.
倒
倾斜装有液体的容器，使液体一点点流出来。

-아 주다 (表达) : 남을 위해 앞의 말이 나타내는 행동을 함을 나타내는 표현.
给
表示为别人做前面表达的行为。

-어요 (语尾) : (두루높임으로) 어떤 사실을 서술하거나 질문, 명령, 권유함을 나타내는 종결 어미.
无对应词汇
(普尊) 表示叙述某个事实，或提问、命令、劝说。**<命令>**

추억+에 취하+여 비틀거리+[기 전에]
취해

추억 (名词) : 지나간 일을 생각함. 또는 그런 생각이나 일.
回忆
想起往事；或指那样的想法或事情。

에 (助词) : 앞말이 어떤 행위나 감정 등의 대상임을 나타내는 조사.
无对应词汇
表示某行为或感情等的对象。

취하다 (动词) : 무엇에 매우 깊이 빠져 마음을 빼앗기다.
沉醉，陶醉，痴迷，醉心，着迷
被某物深深吸引而深陷其中。

-여 (语尾) : 앞에 오는 말이 뒤에 오는 말에 대한 원인이나 이유임을 나타내는 연결 어미.
无对应词汇
表示前句是后句的原因或理由。

비틀거리다 (动词) : 몸을 가누지 못하고 계속 이리저리 쓰러질 듯이 걷다.
趔趔趄趄，踉踉跄跄，跌跌撞撞
支撑不住身体，不停地到处摇晃，像要摔倒似地走。

-기 전에 (表达) : 뒤에 오는 말이 나타내는 행동이 앞에 오는 말이 나타내는 행동보다 앞서는 것을 나타내는 표현.
无对应词汇
表示后句所指的动作先于前句所指动作。

이 한 잔 마시+[고 나]+면 지우+[ㄹ 수 있]+을까요?
지울 수 있을까요

이 (冠形词) : 바로 앞에서 이야기한 대상을 가리킬 때 쓰는 말.
这
用于指示刚才所说的对象。

한 (冠形词) : 하나의.
一
一个的。

잔 (名词) : 음료나 술 등을 담은 그릇을 기준으로 그 분량을 세는 단위.
杯
以盛饮料、酒等的器具为标准，数其数量的单位。

마시다 (动词) : 물 등의 액체를 목구멍으로 넘어가게 하다.
喝，饮
使水等液体流入喉咙。

-고 나다 (表达) : 앞에 오는 말이 나타내는 행동이 끝났음을 나타내는 표현.
无对应词汇
表示前面表达的行动已经结束。

-면 (语尾) : 뒤에 오는 말에 대한 근거나 조건이 됨을 나타내는 연결 어미.
无对应词汇
表示前句为后句的根据或条件。

지우다 (动词) : 생각이나 기억을 없애거나 잊다.
打消，抹掉
抹除想法或忘掉记忆。

-ㄹ 수 있다 (表达) : 어떤 행동이나 상태가 가능함을 나타내는 표현.
无对应词汇
表示某种行为或状态有可能发生。

-을까요 (表达) : (두루높임으로) 아직 일어나지 않았거나 모르는 일에 대해서 말하는 사람이 추측하며 질문할 때 쓰는 표현.
无对应词汇
(普尊) 表示说话人推测并询问还没发生或不知道的事情。

그리움+에 취하+여 잠들+[기 전에]
취해

그리움 (名词) : 어떤 대상을 몹시 보고 싶어 하는 안타까운 마음.
思念，想念
非常想见某人的焦急的心情。

에 (助词) : 앞말이 어떤 행위나 감정 등의 대상임을 나타내는 조사.
无对应词汇
表示某行为或感情等的对象。

취하다 (动词) : 무엇에 매우 깊이 빠져 마음을 빼앗기다.
沉醉，陶醉，痴迷，醉心，着迷
被某物深深吸引而深陷其中。

-여 (语尾) : 앞에 오는 말이 뒤에 오는 말에 대한 원인이나 이유임을 나타내는 연결 어미.
无对应词汇
表示前句是后句的原因或理由。

잠들다 (动词) : 잠을 자는 상태가 되다.
入睡，成眠
进入睡眠的状态。

-기 전에 (表达) : 뒤에 오는 말이 나타내는 행동이 앞에 오는 말이 나타내는 행동보다 앞서는 것을 나타내는 표현.
无对应词汇
表示后句所指的动作先于前句所指动作。

아직 어제+를 살+[고 있]+는 이 꿈속+에서 깨+[지 않]+도록

아직 (副词) : 어떤 일이나 상태 또는 어떻게 되기까지 시간이 더 지나야 함을 나타내거나, 어떤 일이나 상태가 끝나지 않고 계속 이어지고 있음을 나타내는 말.
尚未，还，仍然
表示某事或状态成为怎么样需要过一段时间， 或者某事或状态不结束继续不断。

어제 (名词) : 지나간 때.
过去，往日
过去的日子。

를 (助词) : 동작이 직접적으로 영향을 미치는 대상을 나타내는 조사.
无对应词汇
表示动作直接涉及的对象。

살다 (动词) : 사람이 생활을 하다.
生活，过活，过日子
人过生活。

-고 있다 (表达) : 앞의 말이 나타내는 행동이 계속 진행됨을 나타내는 표현.
正，在，正在
表示持续进行前一句所指的行为。

-는 (语尾) : 앞의 말이 관형어의 기능을 하게 만들고 사건이나 동작이 현재 일어남을 나타내는 어미.
无对应词汇
使前面的词具有定语功能，表示事件或动作现在正在发生。

이 (冠形词) : 말하는 사람에게 가까이 있거나 말하는 사람이 생각하고 있는 대상을 가리킬 때 쓰는 말.
这，这个
用于指示与话者离得近的物品，或用于指示话者所想的对象。

꿈속 (名词) : 현실과 동떨어진 환상 속.
梦中
指脱离现实的梦幻境界。

에서 (助词) : 앞말이 행동이 이루어지고 있는 장소임을 나타내는 조사.
无对应词汇
表示前面的内容为动作所进行的地点。

깨다 (动词) : 잠이 든 상태에서 벗어나 정신을 차리다. 또는 그렇게 하다.
睡醒
摆脱熟睡的状态而苏醒过来；或使之那样子。

-지 않다 (表达) : 앞의 말이 나타내는 행위나 상태를 부정하는 뜻을 나타내는 표현.
无对应词汇
表示否定前面所指的行为或状态。

-도록 (语尾) : 앞에 오는 말이 뒤에 오는 말에 대한 목적이나 결과, 방식, 정도임을 나타내는 연결 어미.
无对应词汇
表示前句为后句的目的、结果、方式、程度。**<目的>**

누구+라도 지독하+ㄴ 술 한 잔 따르(따르)+[아 주]+어요.
지독한 따라 줘요

누구 (代词) : 정해지지 않은 어떤 사람을 가리키는 말.
谁都，无论是谁
指尚未确定的人。

라도 (助词) : 그것이 최선은 아니나 여럿 중에서는 그런대로 괜찮음을 나타내는 조사.
无对应词汇
表示虽不是最佳，但在几个当中算是不错的。

지독하다 (形容词) : 맛이나 냄새 등이 해롭거나 참기 어려울 정도로 심하다.
刺鼻，重
味道或气味等非常严重，到了有害或难以忍受的程度。

-ㄴ (语尾) : 앞의 말이 관형어의 기능을 하게 만들고 현재의 상태를 나타내는 어미.
无对应词汇
使前面的词具有定语功能，表示现在的状态。

술 (名词) : 맥주나 소주 등과 같이 알코올 성분이 들어 있어서 마시면 취하는 음료.
酒
像啤酒或烧酒等那样含有酒精成分、喝后会醉的饮料。

한 (冠形词) : 하나의.
一
一个的。

잔 (名词) : 음료나 술 등을 담은 그릇을 기준으로 그 분량을 세는 단위.
杯
以盛饮料、酒等的器具为标准，数其数量的单位。

따르다 (动词) : 액체가 담긴 물건을 기울여 액체를 밖으로 조금씩 흐르게 하다.
倒
倾斜装有液体的容器，使液体一点点流出来。

-아 주다 (表达) : 남을 위해 앞의 말이 나타내는 행동을 함을 나타내는 표현.
给
表示为别人做前面表达的行为。

-어요 (语尾) : (두루높임으로) 어떤 사실을 서술하거나 질문, 명령, 권유함을 나타내는 종결 어미.
无对应词汇
(普尊) 表示叙述某个事实，或提问、命令、劝说。**<命令>**

< 후렴(副歌) >

이제+부터 하얗(하야)+ㄴ 여백+에 가득 차+ㄴ
하얀 찬

이제 (名词) : 말하고 있는 바로 이때.
现在
说话的同时。

부터 (助词) : 어떤 일의 시작이나 처음을 나타내는 조사.
从
表示某事的开始或起始。

하얗다 (形容词) : 눈이나 우유의 빛깔과 같이 밝고 선명하게 희다.
白
和雪或牛奶一样白得鲜明。

-ㄴ (语尾) : 앞의 말이 관형어의 기능을 하게 만들고 현재의 상태를 나타내는 어미.
无对应词汇
使前面的词具有定语功能，表示现在的状态。

여백 (名词) : 종이 등에 글씨를 쓰거나 그림을 그리고 남은 빈 자리.
余白
在纸张等写字或画画后留下的空白处。

에 (助词) : 앞말이 어떤 장소나 자리임을 나타내는 조사.
无对应词汇
表示某个处所或地点。

가득 (副词) : 어떤 감정이나 생각이 강한 모양.
充满，满满地
某种感情或想法非常强烈的样子。

차다 (动词) : 감정이나 느낌 등이 가득하게 되다.
充满，饱含，洋溢
满怀感情或感受等。

-ㄴ (语尾) : 앞의 말이 관형어의 기능을 하게 만들고 사건이나 동작이 완료되어 그 상태가 유지되고 있음을 나타내는 어미.
无对应词汇
使前面的词具有定语功能，表示事件或动作完成后其状态一直持续。

내+가 모르+는 나+를 지우+[ㄹ 것(거)]+이+에요.
지울 거예요

내 (代词) : '나'에 조사 '가'가 붙을 때의 형태.
我
"나(我)"后面加助词"가(表示动作主体)"时的形态。

가 (助词) : 어떤 상태나 상황에 놓인 대상이나 동작의 주체를 나타내는 조사.
无对应词汇
表示行为的主体或状态描述的对象。

모르다 (动词) : 사람이나 사물, 사실 등을 알지 못하거나 이해하지 못하다.
不知道，不认识，不懂
不清楚或不了解人或事物、事实等。

-는 (语尾) : 앞의 말이 관형어의 기능을 하게 만들고 사건이나 동작이 현재 일어남을 나타내는 어미.
无对应词汇
使前面的词具有定语功能，表示事件或动作现在正在发生。

나 (代词) : 말하는 사람이 친구나 아랫사람에게 자기를 가리키는 말.
我
说话人在朋友或晚辈面前用来指称自己。

를 (助词) : 동작이 직접적으로 영향을 미치는 대상을 나타내는 조사.
无对应词汇
表示动作直接涉及的对象。

지우다 (动词) : 생각이나 기억을 없애거나 잊다.
打消，抹掉
抹除想法或忘掉记忆。

-ㄹ 것 (表达) : 명사가 아닌 것을 문장에서 명사처럼 쓰이게 하거나 '이다' 앞에 쓰일 수 있게 할 때 쓰는 표현.
无对应词汇
用于使非名词在句中用作名词或使其能用在"이다"前面。

이다 (助词) : 주어가 지시하는 대상의 속성이나 부류를 지정하는 뜻을 나타내는 서술격 조사.
无对应词汇
表示指定主语所指示的属性或类型。

-에요 (语尾) : (두루높임으로) 어떤 사실을 서술하거나 질문함을 나타내는 종결 어미.
无对应词汇
(普尊) 表示叙述或询问某个事实。**<叙述>**

오늘+은 꼭 당신+이 따르(따르)+[아 주]+ㄴ
따라 준

오늘 (名词) : 지금 지나가고 있는 이날.
今天，今日
现在正在度过的这一天。

은 (助词) : 문장 속에서 어떤 대상이 화제임을 나타내는 조사.
无对应词汇
表示某个对象是句中的话题。

꼭 (副词) : 어떤 일이 있어도 반드시.
一定，必定
无论有什么事情也务必。

당신 (代词) : (조금 높이는 말로) 듣는 사람을 가리키는 말.
您
(略敬)指代听话人。

이 (助词) : 어떤 상태나 상황의 대상이나 동작의 주체를 나타내는 조사.
无对应词汇
表示行为的主体或状态描述的对象。

따르다 (动词) : 액체가 담긴 물건을 기울여 액체를 밖으로 조금씩 흐르게 하다.
倒
倾斜装有液体的容器，使液体一点点流出来。

-아 주다 (表达) : 남을 위해 앞의 말이 나타내는 행동을 함을 나타내는 표현.
给
表示为别人做前面表达的行为。

-ㄴ (语尾) : 앞의 말이 관형어의 기능을 하게 만들고 사건이나 동작이 완료되어 그 상태가 유지되고 있음을 나타내는 어미.
无对应词汇
使前面的词具有定语功能，表示事件或动作完成后其状态一直持续。

한 잔+의 가득하+ㄴ 독주+를 비우+[ㄹ 것(거)]+이+에요.
가득한 비울 거예요

한 (冠形词) : 하나의.
一
一个的。

잔 (名词) : 음료나 술 등을 담은 그릇을 기준으로 그 분량을 세는 단위.
杯
以盛饮料、酒等的器具为标准，数其数量的单位。

의 (助词) : 앞의 말이 뒤의 말에 대하여 속성이나 수량을 한정하거나 같은 자격임을 나타내는 조사.
无对应词汇
表示限定属性或数量，或相同资格。

가득하다 (形容词) : 양이나 수가 정해진 범위에 꽉 차 있다.
满满
量或数最大限度地到达既定范围。

-ㄴ (语尾) : 앞의 말이 관형어의 기능을 하게 만들고 현재의 상태를 나타내는 어미.
无对应词汇
使前面的词具有定语功能，表示现在的状态。

독주 (名词) : 매우 독한 술.
烈酒
含酒精度高、性质猛烈的酒。

를 (助词) : 동작이 직접적으로 영향을 미치는 대상을 나타내는 조사.
无对应词汇
表示动作直接涉及的对象。

비우다 (动词) : 안에 든 것을 없애 속을 비게 하다.
清空
将内部的东西清除腾空。

-ㄹ 것 (表达) : 명사가 아닌 것을 문장에서 명사처럼 쓰이게 하거나 '이다' 앞에 쓰일 수 있게 할 때 쓰는 표현.
无对应词汇
用于使非名词在句中用作名词或使其能用在"이다"前面。

이다 (助词) : 주어가 지시하는 대상의 속성이나 부류를 지정하는 뜻을 나타내는 서술격 조사.
无对应词汇
表示指定主语所指示的属性或类型。

-에요 (语尾) : (두루높임으로) 어떤 사실을 서술하거나 질문함을 나타내는 종결 어미.
无对应词汇
(普尊) 表示叙述或询问某个事实。**<叙述>**

이제+부터 하얗(하야)+ㄴ 여백+에 가득 차+ㄴ
하얀 찬

이제 (名词) : 말하고 있는 바로 이때.
现在
说话的同时。

부터 (助词) : 어떤 일의 시작이나 처음을 나타내는 조사.
从
助词。表示某事的开始或起始。

하얗다 (形容词) : 눈이나 우유의 빛깔과 같이 밝고 선명하게 희다.
白
和雪或牛奶一样白得鲜明。

-ㄴ (语尾) : 앞의 말이 관형어의 기능을 하게 만들고 현재의 상태를 나타내는 어미.
无对应词汇
使前面的词具有定语功能，表示现在的状态。

여백 (名词) : 종이 등에 글씨를 쓰거나 그림을 그리고 남은 빈 자리.
余白
在纸张等写字或画画后留下的空白处。

에 (助词) : 앞말이 어떤 장소나 자리임을 나타내는 조사.
无对应词汇
表示某个处所或地点。

가득 (副词) : 어떤 감정이나 생각이 강한 모양.
充满，满满地
某种感情或想法非常强烈的样子。

차다 (动词) : 감정이나 느낌 등이 가득하게 되다.
充满，饱含，洋溢
满怀感情或感受等。

-ㄴ (语尾) : 앞의 말이 관형어의 기능을 하게 만들고 사건이나 동작이 완료되어 그 상태가 유지되고 있음을 나타내는 어미.
无对应词汇
使前面的词具有定语功能，表示事件或动作完成后其状态一直持续。

내+가 모르+는 나+를 지우+[ㄹ 것(거)]+이+에요.
지울 거예요

내 (代词) : '나'에 조사 '가'가 붙을 때의 형태.
我
"나(我)"后面加助词"가(表示动作主体)"时的形态。

가 (助词) : 어떤 상태나 상황에 놓인 대상이나 동작의 주체를 나타내는 조사.
无对应词汇
表示行为的主体或状态描述的对象。

모르다 (动词) : 사람이나 사물, 사실 등을 알지 못하거나 이해하지 못하다.
不知道，不认识，不懂
不清楚或不了解人或事物、事实等。

-는 (语尾) : 앞의 말이 관형어의 기능을 하게 만들고 사건이나 동작이 현재 일어남을 나타내는 어미.
无对应词汇
使前面的词具有定语功能，表示事件或动作现在正在发生。

나 (代词) : 말하는 사람이 친구나 아랫사람에게 자기를 가리키는 말.
我
说话人在朋友或晚辈面前用来指称自己。

를 (助词) : 동작이 직접적으로 영향을 미치는 대상을 나타내는 조사.
无对应词汇
表示动作直接涉及的对象。

지우다 (动词) : 생각이나 기억을 없애거나 잊다.
打消，抹掉
抹除想法或忘掉记忆。

-ㄹ 것 (表达) : 명사가 아닌 것을 문장에서 명사처럼 쓰이게 하거나 '이다' 앞에 쓰일 수 있게 할 때 쓰는 표현.
无对应词汇
用于使非名词在句中用作名词或使其能用在"이다"前面。

이다 (助词) : 주어가 지시하는 대상의 속성이나 부류를 지정하는 뜻을 나타내는 서술격 조사.
无对应词汇
表示指定主语所指示的属性或类型。

-에요 (语尾) : (두루높임으로) 어떤 사실을 서술하거나 질문함을 나타내는 종결 어미.
无对应词汇
(普尊) 表示叙述或询问某个事实。**<叙述>**

오늘+은 꼭 당신+이 따르(따르)+[아 주]+ㄴ
따라 준

오늘 (名词) : 지금 지나가고 있는 이날.
今天，今日
现在正在度过的这一天。

은 (助词) : 문장 속에서 어떤 대상이 화제임을 나타내는 조사.
无对应词汇
表示某个对象是句中的话题。

꼭 (副词) : 어떤 일이 있어도 반드시.
一定，必定
无论有什么事情也务必。

당신 (代词) : (조금 높이는 말로) 듣는 사람을 가리키는 말.
您
(略敬)指代听话人。

이 (助词) : 어떤 상태나 상황의 대상이나 동작의 주체를 나타내는 조사.
无对应词汇
表示行为的主体或状态描述的对象。

따르다 (动词) : 액체가 담긴 물건을 기울여 액체를 밖으로 조금씩 흐르게 하다.
倒
倾斜装有液体的容器，使液体一点点流出来。

-아 주다 (表达) : 남을 위해 앞의 말이 나타내는 행동을 함을 나타내는 표현.
给
表示为别人做前面表达的行为。

-ㄴ (语尾) : 앞의 말이 관형어의 기능을 하게 만들고 사건이나 동작이 완료되어 그 상태가 유지되고 있음을 나타내는 어미.
无对应词汇
使前面的词具有定语功能，表示事件或动作完成后其状态一直持续。

한 잔+의 가득하+ㄴ 독주+를 비우+[ㄹ 것(거)]+이+에요.
가득한 비울 거예요

한 (冠形词) : 하나의.
一
一个的。

잔 (名词) : 음료나 술 등을 담은 그릇을 기준으로 그 분량을 세는 단위.
杯
以盛饮料、酒等的器具为标准，数其数量的单位。

의 (助词) : 앞의 말이 뒤의 말에 대하여 속성이나 수량을 한정하거나 같은 자격임을 나타내는 조사.
无对应词汇
表示限定属性或数量，或相同资格。

가득하다 (形容词) : 양이나 수가 정해진 범위에 꽉 차 있다.
满满
量或数最大限度地到达既定范围。

-ㄴ (语尾) : 앞의 말이 관형어의 기능을 하게 만들고 현재의 상태를 나타내는 어미.
无对应词汇
使前面的词具有定语功能，表示现在的状态。

독주 (名词) : 매우 독한 술.
烈酒
含酒精度高、性质猛烈的酒。

를 (助词) : 동작이 직접적으로 영향을 미치는 대상을 나타내는 조사.
无对应词汇
表示动作直接涉及的对象。

비우다 (动词) : 안에 든 것을 없애 속을 비게 하다.
清空
将内部的东西清除腾空。

-ㄹ 것 (表达) : 명사가 아닌 것을 문장에서 명사처럼 쓰이게 하거나 '이다' 앞에 쓰일 수 있게 할 때 쓰는 표현.

无对应词汇

用于使非名词在句中用作名词或使其能用在“이다”前面。

이다 (助词) : 주어가 지시하는 대상의 속성이나 부류를 지정하는 뜻을 나타내는 서술격 조사.

无对应词汇

表示指定主语所指示的属性或类型。

-에요 (语尾) : (두루높임으로) 어떤 사실을 서술하거나 질문함을 나타내는 종결 어미.

无对应词汇

(普尊) 表示叙述或询问某个事实。**<叙述>**

< 7 >

애창곡
(爱唱的歌)

[발음(发音)]

< 1 절(节) >

내가 부르는 이 노래
내가 부르는 이 노래
naega bureuneun i norae

너에게 아직 다 못다 한 말
너에게 아직 다 몯따 한 말
neoege ajik da motda han mal

이 곡조엔 우리만 아는 속삭임
이 곡쪼엔 우리만 아는 속싸김
i gokjoen uriman aneun soksagim

내가 부르는 이 노래
내가 부르는 이 노래
naega bureuneun i norae

너에게 꼭 하고 싶은 말
너에게 꼭 하고 시픈 말
neoege kkok hago sipeun mal

이 선율엔 우리만 아는 귓속말
이 서뉴렌 우리만 아는 귇쏭말
i seonyuren uriman aneun gwitsongmal

아무리 화가 나도 삐져 있어도
아무리 화가 나도 삐저 이써도
amuri hwaga nado ppijeo isseodo

이 가락에 취해
이 가라게 취해
i garage chwihae

우린 서로 남몰래 눈을 맞춰요.
우린 서로 남몰래 누늘 맏춰요.
urin seoro nammollae nuneul matchwoyo.

내가 즐겨 부르는 이 노래
내가 즐겨 부르는 이 노래
naega jeulgyeo bureuneun i norae

이 음악이 흐르면
이 으마기 흐르면
i eumagi heureumyeon

너의 눈빛, 너의 표정
너에 눈삗, 너에 표정
neoe nunbit, neoe pyojeong

내 가슴이 살살 녹아요.
내 가스미 살살 노가요.
nae gaseumi salsal nogayo.

< 2 절(节) >

내가 부르는 이 노래
내가 부르는 이 노래
naega bureuneun i norae

너에게만 들려줬던 말
너에게만 들려줟떤 말
neoegeman deullyeojwotdeon mal

이 곡조엔 둘이만 아는 짜릿함
이 곡쪼엔 두리만 아는 짜리탐
i gokjoen duriman aneun jjaritam

내가 부르는 이 노래
내가 부르는 이 노래
naega bureuneun i norae

너에게만 속삭였던 말
너에게만 속싸겯떤 말
neoegeman soksagyeotdeon mal

이 선율엔 둘이만 아는 아찔함
이 서뉴렌 두리만 아는 아찔함
i seonyuren duriman aneun ajjilham

아무리 토라져도 삐져 있어도
아무리 토라저도 삐저 이써도
amuri torajeodo ppijeo isseodo

이 노랫말에 잠겨
이 노랜마레 잠겨
i noraenmare jamgyeo

우린 서로 남몰래 눈을 맞춰요.
우린 서로 남몰래 누늘 맏춰요.
urin seoro nammollae nuneul matchwoyo.

내가 즐겨 부르는 이 노래
내가 즐겨 부르는 이 노래
naega jeulgyeo bureuneun i norae

이 음악이 흐르면
이 으마기 흐르면
i eumagi heureumyeon

너의 눈빛, 너의 표정
너에 눈삗, 너에 표정
neoe nunbit, neoe pyojeong

내 가슴이 살살 녹아요.
내 가스미 살살 노가요.
nae gaseumi salsal nogayo.

< 3 절(节) >

우리 둘이 부르는 이 노래
우리 두리 부르는 이 노래
uri duri bureuneun i norae

우리 둘만 아는 이 노래
우리 둘만 아는 이 노래
uri dulman aneun i norae

우리 둘이 영원히 함께 불러요
우리 두리 영원히 함께 불러요
uri duri yeongwonhi hamkke bulleoyo

이 음표에 우리 사랑 싣고
이 음표에 우리 사랑 싣꼬
i eumpyoe uri sarang sitgo

높고 낮게 길고 짧은 리듬
놉꼬 낟께 길고 짤븐 리듬
nopgo natge gilgo jjalbeun rideum

이 가락에 밤새도록 취해 봐요.
이 가라게 밤새도록 취해 봐요.
i garage bamsaedorok chwihae bwayo.

< 1 절(节) >

내+가 부르+는 이 노래

내 (代词) : '나'에 조사 '가'가 붙을 때의 형태.
我
"나(我)"后面加助词"가(表示动作主体)"时的形态。

가 (助词) : 어떤 상태나 상황에 놓인 대상이나 동작의 주체를 나타내는 조사.
无对应词汇
表示行为的主体或状态描述的对象。

부르다 (动词) : 곡조에 따라 노래하다.
唱
依照曲调歌唱。

-는 (语尾) : 앞의 말이 관형어의 기능을 하게 만들고 사건이나 동작이 현재 일어남을 나타내는 어미.
无对应词汇
使前面的词具有定语功能，表示事件或动作现在正在发生。

이 (冠形词) : 말하는 사람에게 가까이 있거나 말하는 사람이 생각하고 있는 대상을 가리킬 때 쓰는 말.
这，这个
用于指示与话者离得近的物品，或用于指示话者所想的对象。

노래 (名词) : 운율에 맞게 지은 가사에 곡을 붙인 음악. 또는 그런 음악을 소리 내어 부름.
歌，歌曲，唱歌
给具有韵律的歌词添加曲子的音乐；或放声唱出那样的音乐。

너+에게 아직 다 못다 하+ㄴ 말
한

너 (代词) : 듣는 사람이 친구나 아랫사람일 때, 그 사람을 가리키는 말.
你
指代听者，用于朋友或晚辈。

에게 (助词) : 어떤 행동이 미치는 대상임을 나타내는 조사.
无对应词汇
表示某个动作所涉及的对象。

아직 (副词) : 어떤 일이나 상태 또는 어떻게 되기까지 시간이 더 지나야 함을 나타내거나, 어떤 일이나 상태가 끝나지 않고 계속 이어지고 있음을 나타내는 말.
尚未，还，仍然
表示某事或状态成为怎么样需要过一段时间， 或者某事或状态不结束继续不断。

다 (副词) : 남거나 빠진 것이 없이 모두.
全，都
一点不剩或不落下而全部。

못다 (副词) : '어떤 행동을 완전히 다하지 못함'을 나타내는 말.
没能都，没完
表示某个行为没有完全做完。

하다 (动词) : 어떤 행동이나 동작, 활동 등을 행하다.
做，干
进行某种行动、动作或活动。

-ㄴ (语尾) : 앞의 말이 관형어의 기능을 하게 만들고 사건이나 동작이 완료되어 그 상태가 유지되고 있음을 나타내는 어미.
无对应词汇
使前面的词具有定语功能，表示事件或动作完成后其状态一直持续。

말 (名词) : 생각이나 느낌을 표현하고 전달하는 사람의 소리.
声，声音
表达想法或感觉的人的声响。

이 곡조+에+는 우리+만 알(아)+는 속삭임
곡조엔 아는

이 (冠形词) : 말하는 사람에게 가까이 있거나 말하는 사람이 생각하고 있는 대상을 가리킬 때 쓰는 말.
这，这个
用于指示与话者离得近的物品，或用于指示话者所想的对象。

곡조 (名词) : 음악이나 노래의 흐름.
曲调
音乐或歌曲的旋律。

에 (助词) : 앞말이 어떤 장소나 자리임을 나타내는 조사.
无对应词汇
表示某个处所或地点。

는 (助词) : 문장 속에서 어떤 대상이 화제임을 나타내는 조사.
无对应词汇
表示文中某个对象成为话题。

우리 (代词) : 말하는 사람이 자기보다 높지 않은 사람에게 자기를 포함한 여러 사람들을 가리키는 말.
我们
说话人指代自己在内的一些人。一般对没有自己身份地位高的人使用。

만 (助词) : 다른 것은 제외하고 어느 것을 한정함을 나타내는 조사.
无对应词汇
表示排出其他，限定某一个。

알다 (动词) : 교육이나 경험, 생각 등을 통해 사물이나 상황에 대한 정보 또는 지식을 갖추다.
知道，明白
通过教育、经验、思考等来，具备与事物或情况相关的信息或知识。

-는 (语尾) : 앞의 말이 관형어의 기능을 하게 만들고 사건이나 동작이 현재 일어남을 나타내는 어미.
无对应词汇
使前面的词具有定语功能，表示事件或动作现在正在发生。

속삭임 (名词) : 작고 낮은 목소리로 가만가만히 하는 이야기.
悄声细语，耳语
用低小的声音悄悄说的话。

내+가 부르+는 이 노래

내 (代词) : '나'에 조사 '가'가 붙을 때의 형태.
我
"나(我)"后面加助词"가(表示动作主体)"时的形态。

가 (助词) : 어떤 상태나 상황에 놓인 대상이나 동작의 주체를 나타내는 조사.
无对应词汇
表示行为的主体或状态描述的对象。

부르다 (动词) : 곡조에 따라 노래하다.
唱
依照曲调歌唱。

-는 (语尾) : 앞의 말이 관형어의 기능을 하게 만들고 사건이나 동작이 현재 일어남을 나타내는 어미.
无对应词汇
使前面的词具有定语功能，表示事件或动作现在正在发生。

이 (冠形词) : 말하는 사람에게 가까이 있거나 말하는 사람이 생각하고 있는 대상을 가리킬 때 쓰는 말.
这，这个
用于指示与话者离得近的物品，或用于指示话者所想的对象。

노래 (名词) : 운율에 맞게 지은 가사에 곡을 붙인 음악. 또는 그런 음악을 소리 내어 부름.
歌，歌曲，唱歌
给具有韵律的歌词添加曲子的音乐；或放声唱出那样的音乐。

너+에게 꼭 하+[고 싶]+은 말

너 (代词) : 듣는 사람이 친구나 아랫사람일 때, 그 사람을 가리키는 말.
你
指代听者，用于朋友或晚辈。

에게 (助词) : 어떤 행동이 미치는 대상임을 나타내는 조사.
无对应词汇
表示某个动作所涉及的对象。

꼭 (副词) : 어떤 일이 있어도 반드시.
一定，必定
无论有什么事情也务必。

하다 (动词) : 어떤 행동이나 동작, 활동 등을 행하다.
做，干
进行某种行动、动作或活动。

-고 싶다 (表达) : 앞의 말이 나타내는 행동을 하기를 원함을 나타내는 표현.
想，要
表示有做前面行动的意愿。

-은 (语尾) : 앞의 말이 관형어의 기능을 하게 만들고 현재의 상태를 나타내는 어미.
无对应词汇
使前面的词具有定语功能，表示现在的状态。

말 (名词) : 생각이나 느낌을 표현하고 전달하는 사람의 소리.
声，声音
表达想法或感觉的人的声响。

이 선율+에+는 우리+만 알(아)+는 귓속말
선율엔 아는

이 (冠形词) : 말하는 사람에게 가까이 있거나 말하는 사람이 생각하고 있는 대상을 가리킬 때 쓰는 말.
这，这个
用于指示与话者离得近的物品，或用于指示话者所想的对象。

선율 (名词) : 길고 짧거나 높고 낮은 소리가 어우러진 음의 흐름.
旋律，曲调
或长或短、或高或低的声音组合而成的音律。

에 (助词) : 앞말이 어떤 장소나 자리임을 나타내는 조사.
无对应词汇
表示某个处所或地点。

는 (助词) : 문장 속에서 어떤 대상이 화제임을 나타내는 조사.
无对应词汇
表示文中某个对象成为话题。

우리 (代词) : 말하는 사람이 자기보다 높지 않은 사람에게 자기를 포함한 여러 사람들을 가리키는 말.
我们
说话人指代自己在内的一些人。一般对没有自己身份地位高的人使用。

만 (助词) : 다른 것은 제외하고 어느 것을 한정함을 나타내는 조사.
无对应词汇
表示排出其他，限定某一个。

알다 (动词) : 교육이나 경험, 생각 등을 통해 사물이나 상황에 대한 정보 또는 지식을 갖추다.
知道，明白
通过教育、经验、思考等来，具备与事物或情况相关的信息或知识。

-는 (语尾) : 앞의 말이 관형어의 기능을 하게 만들고 사건이나 동작이 현재 일어남을 나타내는 어미.
无对应词汇
使前面的词具有定语功能，表示事件或动作现在正在发生。

귓속말 (名词) : 남의 귀에 입을 가까이 대고 작은 소리로 말함. 또는 그런 말.
耳语，私语，悄悄话
把嘴贴近别人的耳朵边小声说话；或指那样说的话。

아무리 화+가 나+(아)도 삐지+[어 있]+어도
나도 삐져 있어도

아무리 (副词) : 비록 그렇다 하더라도.
多么
虽然如此也。

화 (名词) : 몹시 못마땅하거나 노여워하는 감정.
火，气
十分不满意或恼怒的情绪。

가 (助词) : 어떤 상태나 상황에 놓인 대상이나 동작의 주체를 나타내는 조사.
无对应词汇
表示行为的主体或状态描述的对象。

나다 (动词) : 어떤 감정이나 느낌이 생기다.
生，产生
出现某种情感或感觉。

-아도 (语尾) : 앞에 오는 말을 가정하거나 인정하지만 뒤에 오는 말에는 관계가 없거나 영향을 끼치지 않음을 나타내는 연결 어미.
无对应词汇
表示虽然假设或承认前句某种状况，但和后句内容没有关系或不会对此造成影响。

삐지다 (动词) : 화가 나거나 서운해서 마음이 뒤틀리다.
发火，发脾气
生气或遗憾而心里别扭。

-어 있다 : 앞의 말이 나타내는 상태가 계속됨을 나타내는 표현.
无对应词汇
表示前面所指的行动持续进行。

-어도 (语尾) : 앞에 오는 말을 가정하거나 인정하지만 뒤에 오는 말에는 관계가 없거나 영향을 끼치지 않음을 나타내는 연결 어미.
无对应词汇
表示虽然假设或承认前句某种状况，但和后句内容没有关系或不会对此造成影响。

이 가락+에 취하+여
취해

이 (冠形词) : 말하는 사람에게 가까이 있거나 말하는 사람이 생각하고 있는 대상을 가리킬 때 쓰는 말.
这，这个
用于指示与话者离得近的物品，或用于指示话者所想的对象。

가락 (名词) : 음악에서 음의 높낮이의 흐름.
曲调，旋律
音乐中音高的走向。

에 (助词) : 앞말이 어떤 행위나 감정 등의 대상임을 나타내는 조사.
无对应词汇
表示某行为或感情等的对象。

취하다 (动词) : 무엇에 매우 깊이 빠져 마음을 빼앗기다.
沉醉，陶醉，痴迷，醉心，着迷
被某物深深吸引而深陷其中。

-여 (语尾) : 앞의 말이 뒤의 말보다 먼저 일어났거나 뒤의 말에 대한 방법이나 수단이 됨을 나타내는 연결 어미.
无对应词汇
表示前句先于后句发生，或表示前句是后句的方法或手段。

우리+는 서로 남몰래 [눈을 맞추]+어요.
우린 눈을 맞춰요

우리 (代词) : 말하는 사람이 자기보다 높지 않은 사람에게 자기를 포함한 여러 사람들을 가리키는 말.
我们
说话人指代自己在内的一些人。一般对没有自己身份地位高的人使用。

는 (助词) : 문장 속에서 어떤 대상이 화제임을 나타내는 조사.
无对应词汇
表示文中某个对象成为话题。

서로 (副词) : 관계를 맺고 있는 둘 이상의 대상이 함께. 또는 같이.
彼此，相互
两个以上缔结关系的对象共同；或指一起。

남몰래 (副词) : 다른 사람이 모르게.
背着人，偷偷地
不让人知道地。

눈을 맞추다 (惯用句) : 서로 눈을 마주 보다.
对视；相视
互相看着对方的眼睛。

-어요 (语尾) : (두루높임으로) 어떤 사실을 서술하거나 질문, 명령, 권유함을 나타내는 종결 어미.
无对应词汇
(普尊) 表示叙述某个事实，或提问、命令、劝说。

내+가 즐기+어 부르+는 이 노래
즐겨

내 (代词) : '나'에 조사 '가'가 붙을 때의 형태.
我
"나(我)"后面加助词"가(表示动作主体)"时的形态。

가 (助词) : 어떤 상태나 상황에 놓인 대상이나 동작의 주체를 나타내는 조사.
无对应词汇
表示行为的主体或状态描述的对象。

즐기다 (动词) : 어떤 것을 좋아하여 자주 하다.
喜欢，爱
喜爱做某事而经常做。

-어 (语尾) : 앞의 말이 뒤의 말보다 먼저 일어났거나 뒤의 말에 대한 방법이나 수단이 됨을 나타내는 연결 어미.
无对应词汇
表示前句先于后句发生，或表示前句是后句的方法或手段。

부르다 (动词) : 곡조에 따라 노래하다.
唱
依照曲调歌唱。

-는 (语尾) : 앞의 말이 관형어의 기능을 하게 만들고 사건이나 동작이 현재 일어남을 나타내는 어미.
无对应词汇
使前面的词具有定语功能，表示事件或动作现在正在发生。

이 (冠形词) : 말하는 사람에게 가까이 있거나 말하는 사람이 생각하고 있는 대상을 가리킬 때 쓰는 말.
这，这个
用于指示与话者离得近的物品，或用于指示话者所想的对象。

노래 (名词) : 운율에 맞게 지은 가사에 곡을 붙인 음악. 또는 그런 음악을 소리 내어 부름.
歌，歌曲，唱歌
给具有韵律的歌词添加曲子的音乐；或放声唱出那样的音乐。

이 음악+이 흐르+면

이 (冠形词) : 말하는 사람에게 가까이 있거나 말하는 사람이 생각하고 있는 대상을 가리킬 때 쓰는 말.
这，这个
用于指示与话者离得近的物品，或用于指示话者所想的对象。

음악 (名词) : 목소리나 악기로 박자와 가락이 있게 소리 내어 생각이나 감정을 표현하는 예술.
音乐
用嗓音或乐器按照拍子和节奏发出声音，表达想法或感情的艺术。

이 (助词) : 어떤 상태나 상황의 대상이나 동작의 주체를 나타내는 조사.
无对应词汇
表示行为的主体或状态描述的对象。

흐르다 (动词) : 빛, 소리, 향기 등이 부드럽게 퍼지다.
流淌，飘散，弥漫
光、声音、香气等柔和地向四处扩散。

-면 (语尾) : 뒤에 오는 말에 대한 근거나 조건이 됨을 나타내는 연결 어미.
无对应词汇
表示前句为后句的根据或条件。

너+의 눈빛, 너+의 표정

너 (代词) : 듣는 사람이 친구나 아랫사람일 때, 그 사람을 가리키는 말.
你
指代听者，用于朋友或晚辈。

의 (助词) : 앞의 말이 뒤의 말에 대하여 소유, 소속, 소재, 관계, 기원, 주체의 관계를 가짐을 나타내는 조사.
的
表示所有、所属、所在、关系、来源、主体等关系。

눈빛 (名词) : 눈에 나타나는 감정.
目光，眼神
眼睛里流露出的感情。

너 (代词) : 듣는 사람이 친구나 아랫사람일 때, 그 사람을 가리키는 말.
你
指代听者，用于朋友或晚辈。

의 (助词) : 앞의 말이 뒤의 말에 대하여 소유, 소속, 소재, 관계, 기원, 주체의 관계를 가짐을 나타내는 조사.
的
表示所有、所属、所在、关系、来源、主体等关系。

표정 (名词) : 마음속에 품은 감정이나 생각 등이 얼굴에 드러남. 또는 그런 모습.
表情，脸色
心中的情感或想法等表露在脸上；或指那样的模样。

나+의 가슴+이 살살 녹+아요.
내

나 (代词) : 말하는 사람이 친구나 아랫사람에게 자기를 가리키는 말.
我
说话人在朋友或晚辈面前用来指称自己。

의 (助词) : 앞의 말이 뒤의 말에 대하여 소유, 소속, 소재, 관계, 기원, 주체의 관계를 가짐을 나타내는 조사.
的
表示所有、所属、所在、关系、来源、主体等关系。

가슴 (名词) : 마음이나 느낌.
心，心情，内心
心理或感受。

이 (助词) : 어떤 상태나 상황의 대상이나 동작의 주체를 나타내는 조사.
无对应词汇
表示行为的主体或状态描述的对象。

살살 (副词) : 눈이나 설탕 등이 모르는 사이에 저절로 녹는 모양.
渐渐地
雪或糖等不知不觉中自然融化的样子。

녹다 (动词) : 어떤 대상에게 몹시 반하거나 빠지다.
迷住
对某个对象非常痴迷或沉醉。

-아요 (语尾) : (두루높임으로) 어떤 사실을 서술하거나 질문, 명령, 권유함을 나타내는 종결 어미.
无对应词汇
(普尊) 表示叙述某个事实，或提问、命令、劝说。

< 2 절(节) >

내+가 부르+는 이 노래

내 (代词) : '나'에 조사 '가'가 붙을 때의 형태.
我
"나(我)"后面加助词"가(表示动作主体)"时的形态。

가 (助词) : 어떤 상태나 상황에 놓인 대상이나 동작의 주체를 나타내는 조사.
无对应词汇
表示行为的主体或状态描述的对象。

부르다 (动词) : 곡조에 따라 노래하다.
唱
依照曲调歌唱。

-는 (语尾) : 앞의 말이 관형어의 기능을 하게 만들고 사건이나 동작이 현재 일어남을 나타내는 어미.
无对应词汇
使前面的词具有定语功能，表示事件或动作现在正在发生。

이 (冠形词) : 말하는 사람에게 가까이 있거나 말하는 사람이 생각하고 있는 대상을 가리킬 때 쓰는 말.
这，这个
用于指示与话者离得近的物品，或用于指示话者所想的对象。

노래 (名词) : 운율에 맞게 지은 가사에 곡을 붙인 음악. 또는 그런 음악을 소리 내어 부름.
歌，歌曲，唱歌
给具有韵律的歌词添加曲子的音乐；或放声唱出那样的音乐。

너+에게+만 들려주+었던 말
들려줬던

너 (代词) : 듣는 사람이 친구나 아랫사람일 때, 그 사람을 가리키는 말.
你
指代听者，用于朋友或晚辈。

에게 (助词) : 어떤 행동이 미치는 대상임을 나타내는 조사.
无对应词汇
表示某个动作所涉及的对象。

만 (助词) : 다른 것은 제외하고 어느 것을 한정함을 나타내는 조사.
无对应词汇
表示排出其他，限定某一个。

들려주다 (动词) : 소리나 말을 듣게 해 주다.
给人听，告诉
使人听到声音或话。

-었던 (表达) : 과거의 사건이나 상태를 다시 떠올리거나 그 사건이나 상태가 완료되지 않고 중단되었다는 의미를 나타내는 표현.
无对应词汇
表示回顾过去的事件或状态，或指该事件或状态结束之前就已经中断。

말 (名词) : 생각이나 느낌을 표현하고 전달하는 사람의 소리.
声，声音
表达想法或感觉的人的声响。

이 곡조+에+는 둘+이+만 알(아)+는 짜릿하+ㅁ
곡조엔 아는 짜릿함

이 (冠形词) : 말하는 사람에게 가까이 있거나 말하는 사람이 생각하고 있는 대상을 가리킬 때 쓰는 말.
这，这个
用于指示与话者离得近的物品，或用于指示话者所想的对象。

곡조 (名词) : 음악이나 노래의 흐름.
曲调
音乐或歌曲的旋律。

에 (助词) : 앞말이 어떤 장소나 자리임을 나타내는 조사.
无对应词汇
表示某个处所或地点。

는 (助词) : 문장 속에서 어떤 대상이 화제임을 나타내는 조사.
无对应词汇
表示文中某个对象成为话题。

둘 (数词) : 하나에 하나를 더한 수.
二
一加一后所得的数目。

이 (助词) : 어떤 상태나 상황의 대상이나 동작의 주체를 나타내는 조사.
无对应词汇
表示行为的主体或状态描述的对象。

만 (助词) : 다른 것은 제외하고 어느 것을 한정함을 나타내는 조사.
无对应词汇
表示排出其他，限定某一个。

알다 (动词) : 교육이나 경험, 생각 등을 통해 사물이나 상황에 대한 정보 또는 지식을 갖추다.
知道，明白
通过教育、经验、思考等来，具备与事物或情况相关的信息或知识。

-는 (语尾) : 앞의 말이 관형어의 기능을 하게 만들고 사건이나 동작이 현재 일어남을 나타내는 어미.
无对应词汇
使前面的词具有定语功能，表示事件或动作现在正在发生。

짜릿하다 (形容词) : 심리적 자극을 받아 마음이 순간적으로 조금 흥분되고 떨리는 듯하다.
麻酥酥
受到心理上的刺激内心瞬间兴奋激动。

-ㅁ (语尾) : 앞의 말이 명사의 기능을 하게 하는 어미.
无对应词汇
使前面的词语具有名词功能。

내+가 부르+는 이 노래

내 (代词) : '나'에 조사 '가'가 붙을 때의 형태.
我
"나(我)"后面加助词"가(表示动作主体)"时的形态。

가 (助词) : 어떤 상태나 상황에 놓인 대상이나 동작의 주체를 나타내는 조사.
无对应词汇
表示行为的主体或状态描述的对象。

부르다 (动词) : 곡조에 따라 노래하다.
唱
依照曲调歌唱。

-는 (语尾) : 앞의 말이 관형어의 기능을 하게 만들고 사건이나 동작이 현재 일어남을 나타내는 어미.
无对应词汇
使前面的词具有定语功能，表示事件或动作现在正在发生。

이 (冠形词) : 말하는 사람에게 가까이 있거나 말하는 사람이 생각하고 있는 대상을 가리킬 때 쓰는 말.
这，这个
用于指示与话者离得近的物品，或用于指示话者所想的对象。

노래 (名词) : 운율에 맞게 지은 가사에 곡을 붙인 음악. 또는 그런 음악을 소리 내어 부름.
歌，歌曲，唱歌
给具有韵律的歌词添加曲子的音乐；或放声唱出那样的音乐。

너+에게+만 속삭이+었던 말
속삭였던

너 (代词) : 듣는 사람이 친구나 아랫사람일 때, 그 사람을 가리키는 말.
你
指代听者，用于朋友或晚辈。

에게 (助词) : 어떤 행동이 미치는 대상임을 나타내는 조사.
无对应词汇
表示某个动作所涉及的对象。

만 (助词) : 다른 것은 제외하고 어느 것을 한정함을 나타내는 조사.
无对应词汇
表示排出其他，限定某一个。

속삭이다 (动词) : 남이 알아듣지 못하게 작은 목소리로 가만가만 이야기하다.
窃窃私语，咬耳朵
不停地低声说悄悄话，不让别人听到。

-었던 (表达) : 과거의 사건이나 상태를 다시 떠올리거나 그 사건이나 상태가 완료되지 않고 중단되었다는 의미를 나타내는 표현.
无对应词汇
表示回顾过去的事件或状态，或指该事件或状态结束之前就已经中断。

말 (名词) : 생각이나 느낌을 표현하고 전달하는 사람의 소리.
声，声音
表达想法或感觉的人的声响。

이 <u>선율+에+ㄴ</u> 둘+이+만 <u>알(아)+는</u> <u>아찔하+ㅁ</u>
선율엔 아는 아찔함

이 (冠形词) : 말하는 사람에게 가까이 있거나 말하는 사람이 생각하고 있는 대상을 가리킬 때 쓰는 말.
这，这个
用于指示与话者离得近的物品，或用于指示话者所想的对象。

선율 (名词) : 길고 짧거나 높고 낮은 소리가 어우러진 음의 흐름.
旋律，曲调
或长或短、或高或低的声音组合而成的音律。

에 (助词) : 앞말이 어떤 장소나 자리임을 나타내는 조사.
无对应词汇
表示某个处所或地点。

는 (助词) : 문장 속에서 어떤 대상이 화제임을 나타내는 조사.
无对应词汇
表示文中某个对象成为话题。

둘 (数词) : 하나에 하나를 더한 수.
二
一加一后所得的数目。

이 (助词) : 어떤 상태나 상황의 대상이나 동작의 주체를 나타내는 조사.
无对应词汇
表示行为的主体或状态描述的对象。

만 (助词) : 다른 것은 제외하고 어느 것을 한정함을 나타내는 조사.
无对应词汇
表示排出其他，限定某一个。

알다 (动词) : 교육이나 경험, 생각 등을 통해 사물이나 상황에 대한 정보 또는 지식을 갖추다.
知道，明白
通过教育、经验、思考等来，具备与事物或情况相关的信息或知识。

-는 (语尾) : 앞의 말이 관형어의 기능을 하게 만들고 사건이나 동작이 현재 일어남을 나타내는 어미.
无对应词汇
使前面的词具有定语功能，表示事件或动作现在正在发生。

아찔하다 (形容词) : 놀라거나 해서 갑자기 정신이 흐려지고 어지럽다.
晕眩，头晕眼花
受了惊吓而突然精神恍惚，感到头晕。

-ㅁ (语尾) : 앞의 말이 명사의 기능을 하게 하는 어미.
无对应词汇
使前面的词语具有名词功能。

아무리 토라지+어도 삐지+[어 있]+어도
토라져도 삐져 있어도

아무리 (副词) : 비록 그렇다 하더라도.
多么
虽然如此也。

토라지다 (动词) : 마음에 들지 않아 불만스러워 싹 돌아서다.
怄气，闹情绪，耍小脾气
由于不称心、不满意，态度来个180度大转弯。

-어도 (语尾) : 앞에 오는 말을 가정하거나 인정하지만 뒤에 오는 말에는 관계가 없거나 영향을 끼치지 않음을 나타내는 연결 어미.
无对应词汇
表示虽然假设或承认前句某种状况，但和后句内容没有关系或不会对此造成影响。

삐지다 (动词) : 화가 나거나 서운해서 마음이 뒤틀리다.
发火，发脾气
生气或遗憾而心里别扭。

-어 있다 (表达) : 앞의 말이 나타내는 상태가 계속됨을 나타내는 표현.
无对应词汇
表示前面所指的行动持续进行。

-어도 (语尾) : 앞에 오는 말을 가정하거나 인정하지만 뒤에 오는 말에는 관계가 없거나 영향을 끼치지 않음을 나타내는 연결 어미.
无对应词汇
表示虽然假设或承认前句某种状况，但和后句内容没有关系或不会对此造成影响。

이 노랫말+에 잠기+어
잠겨

이 (冠形词) : 말하는 사람에게 가까이 있거나 말하는 사람이 생각하고 있는 대상을 가리킬 때 쓰는 말.
这，这个
用于指示与话者离得近的物品，或用于指示话者所想的对象。

노랫말 (名词) : 노래의 가락에 따라 부를 수 있게 만든 글이나 말.
歌词
可按歌曲曲调吟唱的文字或语言。

에 (助词) : 앞말이 어떤 행위나 감정 등의 대상임을 나타내는 조사.
无对应词汇
表示某行为或感情等的对象。

잠기다 (动词) : 생각이나 느낌 속에 빠지다.
沉浸
深陷在某种想法或感觉中。

-어 (语尾) : 앞의 말이 뒤의 말보다 먼저 일어났거나 뒤의 말에 대한 방법이나 수단이 됨을 나타내는 연결 어미.
无对应词汇
表示前句先于后句发生，或表示前句是后句的方法或手段。

우리+는 서로 남몰래 [눈을 맞추]+어요.
우린 눈을 맞춰요

우리 (代词) : 말하는 사람이 자기보다 높지 않은 사람에게 자기를 포함한 여러 사람들을 가리키는 말.
我们
说话人指代自己在内的一些人。一般对没有自己身份地位高的人使用。

는 (助词) : 문장 속에서 어떤 대상이 화제임을 나타내는 조사.
无对应词汇
表示文中某个对象成为话题。

서로 (副词) : 관계를 맺고 있는 둘 이상의 대상이 함께. 또는 같이.
彼此，相互
两个以上缔结关系的对象共同；或指一起。

남몰래 (副词) : 다른 사람이 모르게.
背着人，偷偷地
不让人知道地。

눈을 맞추다 (惯用句) : 서로 눈을 마주 보다.
对视；相视
互相看着对方的眼睛。

-어요 (语尾) : (두루높임으로) 어떤 사실을 서술하거나 질문, 명령, 권유함을 나타내는 종결 어미.
无对应词汇
(普尊) 表示叙述某个事实，或提问、命令、劝说。

내+가 즐기+어 부르+는 이 노래
즐겨

내 (代词) : '나'에 조사 '가'가 붙을 때의 형태.
我
"나(我)"后面加助词"가(表示动作主体)"时的形态。

가 (助词) : 어떤 상태나 상황에 놓인 대상이나 동작의 주체를 나타내는 조사.
无对应词汇
表示行为的主体或状态描述的对象。

즐기다 (动词) : 어떤 것을 좋아하여 자주 하다.
喜欢，爱
喜爱做某事而经常做。

-어 (语尾) : 앞의 말이 뒤의 말보다 먼저 일어났거나 뒤의 말에 대한 방법이나 수단이 됨을 나타내는 연결 어미.
无对应词汇
表示前句先于后句发生，或表示前句是后句的方法或手段。

부르다 (动词) : 곡조에 따라 노래하다.
唱
依照曲调歌唱。

-는 (语尾) : 앞의 말이 관형어의 기능을 하게 만들고 사건이나 동작이 현재 일어남을 나타내는 어미.
无对应词汇
使前面的词具有定语功能，表示事件或动作现在正在发生。

이 (冠形词) : 말하는 사람에게 가까이 있거나 말하는 사람이 생각하고 있는 대상을 가리킬 때 쓰는 말.
这，这个
用于指示与话者离得近的物品，或用于指示话者所想的对象。

노래 (名词) : 운율에 맞게 지은 가사에 곡을 붙인 음악. 또는 그런 음악을 소리 내어 부름.
歌，歌曲，唱歌
给具有韵律的歌词添加曲子的音乐；或放声唱出那样的音乐。

이 음악+이 흐르+면

이 (冠形词) : 말하는 사람에게 가까이 있거나 말하는 사람이 생각하고 있는 대상을 가리킬 때 쓰는 말.
这，这个
用于指示与话者离得近的物品，或用于指示话者所想的对象。

음악 (名词) : 목소리나 악기로 박자와 가락이 있게 소리 내어 생각이나 감정을 표현하는 예술.
音乐
用嗓音或乐器按照拍子和节奏发出声音，表达想法或感情的艺术。

이 (助词) : 어떤 상태나 상황의 대상이나 동작의 주체를 나타내는 조사.
无对应词汇
表示行为的主体或状态描述的对象。

흐르다 (动词) : 빛, 소리, 향기 등이 부드럽게 퍼지다.
流淌，飘散，弥漫
光、声音、香气等柔和地向四处扩散。

-면 (语尾) : 뒤에 오는 말에 대한 근거나 조건이 됨을 나타내는 연결 어미.
无对应词汇
表示前句为后句的根据或条件。

너+의 눈빛, 너+의 표정

너 (代词) : 듣는 사람이 친구나 아랫사람일 때, 그 사람을 가리키는 말.
你
指代听者，用于朋友或晚辈。

의 (助词) : 앞의 말이 뒤의 말에 대하여 소유, 소속, 소재, 관계, 기원, 주체의 관계를 가짐을 나타내는 조사.
的
表示所有、所属、所在、关系、来源、主体等关系。

눈빛 (名词) : 눈에 나타나는 감정.
目光，眼神
眼睛里流露出的感情。

너 (代词) : 듣는 사람이 친구나 아랫사람일 때, 그 사람을 가리키는 말.
你
指代听者，用于朋友或晚辈。

의 (助词) : 앞의 말이 뒤의 말에 대하여 소유, 소속, 소재, 관계, 기원, 주체의 관계를 가짐을 나타내는 조사.
的
表示所有、所属、所在、关系、来源、主体等关系。

표정 (名词) : 마음속에 품은 감정이나 생각 등이 얼굴에 드러남. 또는 그런 모습.
表情，脸色
心中的情感或想法等表露在脸上；或指那样的模样。

나+의 가슴+이 살살 녹+아요.
내

나 (代词) : 말하는 사람이 친구나 아랫사람에게 자기를 가리키는 말.
我
说话人在朋友或晚辈面前用来指称自己。

의 (助词) : 앞의 말이 뒤의 말에 대하여 소유, 소속, 소재, 관계, 기원, 주체의 관계를 가짐을 나타내는 조사.
的
表示所有、所属、所在、关系、来源、主体等关系。

가슴 (名词) : 마음이나 느낌.
心，心情，内心
心理或感受。

이 (助词) : 어떤 상태나 상황의 대상이나 동작의 주체를 나타내는 조사.
无对应词汇
表示行为的主体或状态描述的对象。

살살 (副词) : 눈이나 설탕 등이 모르는 사이에 저절로 녹는 모양.
渐渐地
雪或糖等不知不觉中自然融化的样子。

녹다 (动词) : 어떤 대상에게 몹시 반하거나 빠지다.
迷住
对某个对象非常痴迷或沉醉。

-아요 (语尾) : (두루높임으로) 어떤 사실을 서술하거나 질문, 명령, 권유함을 나타내는 종결 어미.
无对应词汇
(普尊) 表示叙述某个事实，或提问、命令、劝说。

< 3 절(节) >

우리 둘+이 부르+는 이 노래

우리 (代词) : 말하는 사람이 자기보다 높지 않은 사람에게 자기를 포함한 여러 사람들을 가리키는 말.
我们
说话人指代自己在内的一些人。一般对没有自己身份地位高的人使用。

둘 (数词) : 하나에 하나를 더한 수.
二
一加一后所得的数目。

이 (助词) : 어떤 상태나 상황의 대상이나 동작의 주체를 나타내는 조사.
无对应词汇
表示行为的主体或状态描述的对象。

부르다 (动词) : 곡조에 따라 노래하다.
唱
依照曲调歌唱。

-는 (语尾) : 앞의 말이 관형어의 기능을 하게 만들고 사건이나 동작이 현재 일어남을 나타내는 어미.
无对应词汇
使前面的词具有定语功能，表示事件或动作现在正在发生。

이 (冠形词) : 말하는 사람에게 가까이 있거나 말하는 사람이 생각하고 있는 대상을 가리킬 때 쓰는 말.
这，这个
用于指示与话者离得近的物品，或用于指示话者所想的对象。

노래 (名词) : 운율에 맞게 지은 가사에 곡을 붙인 음악. 또는 그런 음악을 소리 내어 부름.
歌，歌曲，唱歌
给具有韵律的歌词添加曲子的音乐；或放声唱出那样的音乐。

우리 둘+만 알(아)+는 이 노래
아는

우리 (代词) : 말하는 사람이 자기보다 높지 않은 사람에게 자기를 포함한 여러 사람들을 가리키는 말.
我们
说话人指代自己在内的一些人。一般对没有自己身份地位高的人使用。

둘 (数词) : 하나에 하나를 더한 수.
二
一加一后所得的数目。

만 (助词) : 다른 것은 제외하고 어느 것을 한정함을 나타내는 조사.
无对应词汇
表示排出其他，限定某一个。

알다 (动词) : 교육이나 경험, 생각 등을 통해 사물이나 상황에 대한 정보 또는 지식을 갖추다.
知道，明白
通过教育、经验、思考等来，具备与事物或情况相关的信息或知识。

-는 (语尾) : 앞의 말이 관형어의 기능을 하게 만들고 사건이나 동작이 현재 일어남을 나타내는 어미.
无对应词汇
使前面的词具有定语功能，表示事件或动作现在正在发生。

이 (冠形词) : 말하는 사람에게 가까이 있거나 말하는 사람이 생각하고 있는 대상을 가리킬 때 쓰는 말.
这，这个
用于指示与话者离得近的物品，或用于指示话者所想的对象。

노래 (名词) : 운율에 맞게 지은 가사에 곡을 붙인 음악. 또는 그런 음악을 소리 내어 부름.
歌，歌曲，唱歌
给具有韵律的歌词添加曲子的音乐；或放声唱出那样的音乐。

우리 둘+이 영원히 함께 부르(불ㄹ)+어요.
불러요

우리 (代词) : 말하는 사람이 자기보다 높지 않은 사람에게 자기를 포함한 여러 사람들을 가리키는 말.
我们
说话人指代自己在内的一些人。一般对没有自己身份地位高的人使用。

둘 (数词) : 하나에 하나를 더한 수.
二
一加一后所得的数目。

이 (助词) : 어떤 상태나 상황의 대상이나 동작의 주체를 나타내는 조사.
无对应词汇
表示行为的主体或状态描述的对象。

영원히 (副词) : 끝없이 이어지는 상태로. 또는 언제까지나 변하지 않는 상태로.
永远地
持续不终止的状态；或到任何时候都不变的状态。

함께 (副词) : 여럿이서 한꺼번에 같이.
一起，共同，与共
许多人一下子同时。

부르다 (动词) : 곡조에 따라 노래하다.
唱
依照曲调歌唱。

-어요 (语尾) : (두루높임으로) 어떤 사실을 서술하거나 질문, 명령, 권유함을 나타내는 종결 어미.
无对应词汇
(普尊) 表示叙述某个事实，或提问、命令、劝说。

이 음표+에 우리 사랑 싣+고

이 (冠形词) : 말하는 사람에게 가까이 있거나 말하는 사람이 생각하고 있는 대상을 가리킬 때 쓰는 말.
这，这个
用于指示与话者离得近的物品，或用于指示话者所想的对象。

음표 (名词) : 악보에서 음의 길이와 높낮이를 나타내는 기호.
音符
乐谱中表示音的长短高低的符号。

에 (助词) : 앞말이 어떤 행위나 작용이 미치는 대상임을 나타내는 조사.
无对应词汇
表示某行为或作用所涉及的对象。

우리 (代词) : 말하는 사람이 자기보다 높지 않은 사람에게 자기를 포함한 여러 사람들을 가리키는 말.
我们
说话人指代自己在内的一些人。一般对没有自己身份地位高的人使用。

사랑 (名词) : 상대에게 성적으로 매력을 느껴 열렬히 좋아하는 마음.
爱，爱情，恋情
从对方身上感到性魅力而热烈喜欢的心。

싣다 (动词) : 어떤 현상이나 뜻을 나타내거나 담다.
装，含有
表现出或带有某些现象或意思。

-고 (语尾) : 앞의 말이 나타내는 행동이나 그 결과가 뒤에 오는 행동이 일어나는 동안에 그대로 지속됨을 나타내는 연결 어미.
无对应词汇
表示前面的动作或其结果在后面动作进行的过程中一直持续。

높+고 낮+게 길+고 짧+은 리듬

높다 (形容词) : 소리가 음의 차례에서 위쪽이거나 진동수가 크다.
高
声音处于音阶高处或振动频率较大。

-고 (语尾) : 두 가지 이상의 대등한 사실을 나열할 때 쓰는 연결 어미.
无对应词汇
表示罗列两个以上的对等的事实。

낮다 (形容词) : 소리가 음의 차례에서 아래쪽이거나 진동수가 작다.
低，低沉
声音在音阶排序中处于下方或振动频率小。

-게 (语尾) : 앞의 말이 뒤에서 가리키는 일의 목적이나 결과, 방식, 정도 등이 됨을 나타내는 연결 어미.
无对应词汇
表示前面的内容为后面所指事情的目的、结果、方式或程度等。

길다 (形容词) : 한 때에서 다음의 한 때까지 이어지는 시간이 오래다.
长，久
从一个时间到另一个时间相隔甚远。

-고 (语尾) : 두 가지 이상의 대등한 사실을 나열할 때 쓰는 연결 어미.
无对应词汇
表示罗列两个以上的对等的事实。

짧다 (形容词) : 한 때에서 다른 때까지의 동안이 오래지 않다.
短
从一个时间到另一个时间相隔不久。

-은 (语尾) : 앞의 말이 관형어의 기능을 하게 만들고 현재의 상태를 나타내는 어미.
无对应词汇
使前面的词具有定语功能，表示现在的状态。

리듬 (名词) : 소리의 높낮이, 길이, 세기 등이 일정하게 반복되는 것.
节奏，节拍，韵律
声音的高低、长短、强度等以一定的规律重复。

이 가락+에 밤새+도록 취하+[여 보]+아요.

취해 봐요

이 (冠形词) : 말하는 사람에게 가까이 있거나 말하는 사람이 생각하고 있는 대상을 가리킬 때 쓰는 말.
这，这个
用于指示与话者离得近的物品，或用于指示话者所想的对象。

가락 (名词) : 음악에서 음의 높낮이의 흐름.
曲调，旋律
音乐中音高的走向。

에 (助词) : 앞말이 어떤 행위나 감정 등의 대상임을 나타내는 조사.
无对应词汇
表示某行为或感情等的对象。

밤새다 (动词) : 밤이 지나 아침이 오다.
彻夜
过了晚上，早晨来临。

-도록 (语尾) : 앞에 오는 말이 뒤에 오는 말에 대한 목적이나 결과, 방식, 정도임을 나타내는 연결 어미.
无对应词汇
表示前句为后句的目的、结果、方式、程度。

취하다 (动词) : 무엇에 매우 깊이 빠져 마음을 빼앗기다.
沉醉，陶醉，痴迷，醉心，着迷
被某物深深吸引而深陷其中。

-여 보다 (表达) : 앞의 말이 나타내는 행동을 시험 삼아 함을 나타내는 표현.
无对应词汇
表示试着做前面所指的行动。

-아요 (语尾) : (두루높임으로) 어떤 사실을 서술하거나 질문, 명령, 권유함을 나타내는 종결 어미.
无对应词汇
(普尊) 表示叙述某个事实，或提问、命令、劝说。

< 8 >

최고야

너는 최고야.
(你是最棒的)

[발음(发音)]

< 1 절(节) >

엄마, 치킨 먹고 싶어.
엄마, 치킨 먹꼬 시퍼.
eomma, chikin meokgo sipeo.

아빠, 피자 먹고 싶어.
아빠, 피자 먹꼬 시퍼.
appa, pija meokgo sipeo.

치킨 먹고 싶어.
치킨 먹꼬 시퍼.
chikin meokgo sipeo.

피자 먹고 싶어.
피자 먹꼬 시퍼.
pija meokgo sipeo.

시켜 줘, 시켜 줘.
시켜 줘, 시켜 줘.
sikyeo jwo, sikyeo jwo.

전부 시켜 줘.
전부 시켜 줘.
jeonbu sikyeo jwo.

시켜, 뭐든지 시켜.
시켜, 뭐든지 시켜.
sikyeo, mwodeunji sikyeo.

시켜, 전부 다 시켜.
시켜, 전부 다 시켜.
sikyeo, jeonbu da sikyeo.

먹고 싶은 거, 맛보고 싶은 거 전부 다 시켜.
먹꼬 시픈 거, 맏뽀고 시픈 거 전부 다 시켜.
meokgo sipeun geo, matbogo sipeun geo jeonbu da sikyeo.

엄만 언제나 최고야.
엄만 언제나 최고야.
eomman eonjena choegoya.

최고, 최고, 최고
최고, 최고, 최고
choego, choego, choego

아빤 언제나 최고야.
아빤 언제나 최고야.
appan eonjena choegoya.

최고, 최고, 아빠 최고.
최고, 최고, 아빠 최고.
choego, choego, appa choego.

엄마 최고, 아빠 최고, 엄마 최고, 아빠 최고.
엄마 최고, 아빠 최고, 엄마 최고, 아빠 최고.
eomma choego, appa choego, eomma choego, appa choego.

< 2 절(节) >

언니, 햄버거 먹고 싶어.
언니, 햄버거 먹꼬 시퍼.
eonni, haembeogeo meokgo sipeo.

오빠, 돈가스 먹고 싶어.
오빠, 돈가스 먹꼬 시퍼.
oppa, dongaseu meokgo sipeo.

햄버거 먹고 싶어.
햄버거 먹꼬 시퍼.
haembeogeo meokgo sipeo.

돈가스 먹고 싶어.
돈가스 먹꼬 시퍼.
dongaseu meokgo sipeo.

시켜 줘, 시켜 줘.
시켜 줘, 시켜 줘.
sikyeo jwo, sikyeo jwo.

전부 시켜 줘.
전부 시켜 줘.
jeonbu sikyeo jwo.

시켜, 뭐든지 시켜.
시켜, 뭐든지 시켜.
sikyeo, mwodeunji sikyeo.

시켜, 전부 다 시켜.
시켜, 전부 다 시켜.
sikyeo, jeonbu da sikyeo.

먹고 싶은 거, 맛보고 싶은 거 전부 다 시켜.
먹꼬 시픈 거, 맏뽀고 시픈 거 전부 다 시켜.
meokgo sipeun geo, matbogo sipeun geo jeonbu da sikyeo.

초밥도, 짜장면도, 짬뽕도, 탕수육도, 떡볶이도, 순대도, 김밥도, 냉면도.
초밥또, 짜장면도, 짬뽕도, 탕수육또, 떡뽀끼도, 순대도, 김밥또, 냉면도.
chobapdo, jjajangmyeondo, jjamppongdo, tangsuyukdo, tteokbokkido, sundaedo, gimbapdo, naengmyeondo.

시켜, 시켜, 뭐든지 시켜.
시켜, 시켜, 뭐든지 시켜.
sikyeo, sikyeo, mwodeunji sikyeo.

먹고 싶은 거 다 시켜.
먹꼬 시픈 거 다 시켜.
meokgo sipeun geo da sikyeo.

뭐든지 다 시켜 줄게.
뭐든지 다 시켜 줄께.
mwodeunji da sikyeo julge.

전부 다 시켜 줄게.
전부 다 시켜 줄께.
jeonbu da sikyeo julge.

언닌 언제나 최고야.
언닌 언제나 최고야.
eonnin eonjena choegoya.

최고, 최고, 최고.
최고, 최고, 최고.
choego, choego, choego.

오빤 언제나 최고야.
오빤 언제나 최고야.
oppan eonjena choegoya.

최고, 최고, 오빠 최고.
최고, 최고, 오빠 최고.
choego, choego, oppa choego.

엄마가 최고야, 엄마 최고.
엄마가 최고야, 엄마 최고.
eommaga choegoya, eomma choego.

아빠가 최고야, 아빠 최고.
아빠가 최고야, 아빠 최고.
appaga choegoya, appa choego.

최고, 최고, 언니 최고.
최고, 최고, 언니 최고.
choego, choego, eonni choego.

오빠가 최고야, 오빠 최고.
오빠가 최고야, 오빠 최고.
oppaga choegoya, oppa choego.

< 1 절(节) >

엄마, 치킨 먹+[고 싶]+어.

엄마 (名词) : 격식을 갖추지 않아도 되는 상황에서 어머니를 이르거나 부르는 말.
妈妈
在非正式场合用于指称或称呼母亲。

치킨 (名词) : 토막을 낸 닭에 밀가루 등을 묻혀 기름에 튀기거나 구운 음식.
炸鸡
将切成块的鸡肉裹上面粉，放入油锅里炸或烤的食物。

먹다 (动词) : 음식 등을 입을 통하여 배 속에 들여보내다.
吃
将食物送进口中并咽下。

-고 싶다 : 앞의 말이 나타내는 행동을 하기를 원함을 나타내는 표현.
想，要
表示有做前面行动的意愿。

-어 : (두루낮춤으로) 어떤 사실을 서술하거나 물음, 명령, 권유를 나타내는 종결 어미.
无对应词汇
(普卑)终结语尾。表示陈述某种事实、询问、命令或劝说。<叙述>

아빠, 피자 먹+[고 싶]+어.

아빠 (名词) : 격식을 갖추지 않아도 되는 상황에서 아버지를 이르거나 부르는 말.
爸爸
在非正式场合用于指称或称呼父亲。

피자 (名词) : 이탈리아에서 유래한 것으로 둥글고 납작한 밀가루 반죽 위에 토마토, 고기, 치즈 등을 얹어 구운 음식.
比萨
一种源于意大利的食物，在圆而扁的面饼上面覆盖番茄、肉类、奶酪以及其他配料，并烘烤而成。

먹다 (动词) : 음식 등을 입을 통하여 배 속에 들여보내다.
吃
将食物送进口中并咽下。

-고 싶다 : 앞의 말이 나타내는 행동을 하기를 원함을 나타내는 표현.
想，要
表示有做前面行动的意愿。

-어 : (두루낮춤으로) 어떤 사실을 서술하거나 물음, 명령, 권유를 나타내는 종결 어미.
无对应词汇
(普卑)终结语尾。表示陈述某种事实、询问、命令或劝说。<叙述>

치킨 먹+[고 싶]+어.

치킨 (名词) : 토막을 낸 닭에 밀가루 등을 묻혀 기름에 튀기거나 구운 음식.
炸鸡
将切成块的鸡肉裹上面粉，放入油锅里炸或烤的食物。

먹다 (动词) : 음식 등을 입을 통하여 배 속에 들여보내다.
吃
将食物送进口中并咽下。

-고 싶다 : 앞의 말이 나타내는 행동을 하기를 원함을 나타내는 표현.
想，要
表示有做前面行动的意愿。

-어 : (두루낮춤으로) 어떤 사실을 서술하거나 물음, 명령, 권유를 나타내는 종결 어미.
无对应词汇
(普卑)终结语尾。表示陈述某种事实、询问、命令或劝说。<叙述>

피자 먹+[고 싶]+어.

피자 (名词) : 이탈리아에서 유래한 것으로 둥글고 납작한 밀가루 반죽 위에 토마토, 고기, 치즈 등을 얹어 구운 음식.
比萨
一种源于意大利的食物，在圆而扁的面饼上面覆盖番茄、肉类、奶酪以及其他配料，并烘烤而成。

먹다 (动词) : 음식 등을 입을 통하여 배 속에 들여보내다.
吃
将食物送进口中并咽下。

-고 싶다 : 앞의 말이 나타내는 행동을 하기를 원함을 나타내는 표현.
想，要
表示有做前面行动的意愿。

-어 : (두루낮춤으로) 어떤 사실을 서술하거나 물음, 명령, 권유를 나타내는 종결 어미.
无对应词汇
(普卑)终结语尾。表示陈述某种事实、询问、命令或劝说。<叙述>

시키+[어 주]+어, 시키+[어 주]+어.
시켜 줘 시켜 줘

시키다 (动词) : 음식이나 술, 음료 등을 주문하다.
点，叫
下单购买食物、酒、饮料等。

-어 주다 : 남을 위해 앞의 말이 나타내는 행동을 함을 나타내는 표현.
给
表示为别人做前面表达的行动。

-어 : (두루낮춤으로) 어떤 사실을 서술하거나 물음, 명령, 권유를 나타내는 종결 어미.
无对应词汇
(普卑)终结语尾。表示陈述某种事实、询问、命令或劝说。<命令>

전부 시키+[어 주]+어.
시켜 줘

전부 (副词) : 빠짐없이 다.
全部
一个不漏全都。

시키다 (动词) : 음식이나 술, 음료 등을 주문하다.
点，叫
下单购买食物、酒、饮料等。

-어 주다 : 남을 위해 앞의 말이 나타내는 행동을 함을 나타내는 표현.
给
表示为别人做前面表达的行动。

-어 : (두루낮춤으로) 어떤 사실을 서술하거나 물음, 명령, 권유를 나타내는 종결 어미.
无对应词汇
(普卑)终结语尾。表示陈述某种事实、询问、命令或劝说。<命令>

시키+어, 뭐+든지 시키+어.
시켜 시켜

시키다 (动词) : 음식이나 술, 음료 등을 주문하다.
点，叫
下单购买食物、酒、饮料等。

-어 : (두루낮춤으로) 어떤 사실을 서술하거나 물음, 명령, 권유를 나타내는 종결 어미.
无对应词汇
(普卑)终结语尾。表示陈述某种事实、询问、命令或劝说。<命令>

뭐 (代词) : 정해지지 않은 대상이나 굳이 이름을 밝힐 필요가 없는 대상을 가리키는 말.
什么
指代不确定的对象或无需指明名字的对象。

든지 : 어느 것이 선택되어도 차이가 없음을 나타내는 조사.
无对应词汇
助词。表示选哪个都一样。

시키다 (动词) : 음식이나 술, 음료 등을 주문하다.
点，叫
下单购买食物、酒、饮料等。

-어 : (두루낮춤으로) 어떤 사실을 서술하거나 물음, 명령, 권유를 나타내는 종결 어미.
无对应词汇
(普卑)终结语尾。表示陈述某种事实、询问、命令或劝说。<命令>

시키+어, 전부 다 시키+어.
시켜 시켜

시키다 (动词) : 음식이나 술, 음료 등을 주문하다.
点，叫
下单购买食物、酒、饮料等。

-어 : (두루낮춤으로) 어떤 사실을 서술하거나 물음, 명령, 권유를 나타내는 종결 어미.
无对应词汇
(普卑)终结语尾。表示陈述某种事实、询问、命令或劝说。<命令>

전부 (副词) : 빠짐없이 다.
全部
一个不漏全都。

다 (副词) : 남거나 빠진 것이 없이 모두.
全，都
一点不剩或不落下而全部。

시키다 (动词) : 음식이나 술, 음료 등을 주문하다.
点，叫
下单购买食物、酒、饮料等。

-어 : (두루낮춤으로) 어떤 사실을 서술하거나 물음, 명령, 권유를 나타내는 종결 어미.
无对应词汇
(普卑)终结语尾。表示陈述某种事实、询问、命令或劝说。<命令>

먹+[고 싶]+[은 거], 맛보+[고 싶]+[은 거] 전부 다 시키+어.

시켜

먹다 (动词) : 음식 등을 입을 통하여 배 속에 들여보내다.
吃
将食物送进口中并咽下。

-고 싶다 : 앞의 말이 나타내는 행동을 하기를 원함을 나타내는 표현.
想，要
表示有做前面行动的意愿。

-은 거 : 명사가 아닌 것을 문장에서 명사처럼 쓰이게 하거나 '이다' 앞에 쓰일 수 있게 할 때 쓰는 표현.
无对应词汇
用于使非名词在句中用作名词，或使其可出现在"이다"前面。

맛보다 (动词) : 음식의 맛을 알기 위해 먹어 보다.
品尝
为了了解食物的味道而尝一下。

-고 싶다 : 앞의 말이 나타내는 행동을 하기를 원함을 나타내는 표현.
想，要
表示有做前面行动的意愿。

-은 거 : 명사가 아닌 것을 문장에서 명사처럼 쓰이게 하거나 '이다' 앞에 쓰일 수 있게 할 때 쓰는 표현.
无对应词汇
用于使非名词在句中用作名词，或使其可出现在"이다"前面。

전부 (副词) : 빠짐없이 다.
全部
一个不漏全都。

다 (副词) : 남거나 빠진 것이 없이 모두.
全，都
一点不剩或不落下而全部。

시키다 (动词) : 음식이나 술, 음료 등을 주문하다.
点，叫
下单购买食物、酒、饮料等。

-어 : (두루낮춤으로) 어떤 사실을 서술하거나 물음, 명령, 권유를 나타내는 종결 어미.
无对应词汇
(普卑)终结语尾。表示陈述某种事实、询问、命令或劝说。<命令>

엄마+는 언제나 최고+(이)+야.
엄만 최고야

엄마 (名词) : 격식을 갖추지 않아도 되는 상황에서 어머니를 이르거나 부르는 말.
妈妈
在非正式场合用于指称或称呼母亲。

는 : 문장 속에서 어떤 대상이 화제임을 나타내는 조사.
无对应词汇
助词。表示文中某个对象成为话题。

언제나 (副词) : 어느 때에나. 또는 때에 따라 달라지지 않고 변함없이.
一直，总是
无论何时；或指不管什么时候都没变地。

최고 (名词) : 가장 좋거나 뛰어난 것.
最；最佳
最好或最出色的。

이다 : 주어가 지시하는 대상의 속성이나 부류를 지정하는 뜻을 나타내는 서술격 조사.
无对应词汇
谓格助词。表示指定主语所指示的属性或类型。

-야 : (두루낮춤으로) 어떤 사실에 대하여 서술하거나 물음을 나타내는 종결 어미.
无对应词汇
(普卑)终结语尾。表示叙述或询问某个事实。<叙述>

최고, 최고, 최고.

최고 (名词) : 가장 좋거나 뛰어난 것.
最；最佳
最好或最出色的。

아빠+는 언제나 최고+(이)+야.
아빤 최고야

아빠 (名词) : 격식을 갖추지 않아도 되는 상황에서 아버지를 이르거나 부르는 말.
爸爸
在非正式场合用于指称或称呼父亲。

는 : 문장 속에서 어떤 대상이 화제임을 나타내는 조사.
无对应词汇
助词。表示文中某个对象成为话题。

언제나 (副词) : 어느 때에나. 또는 때에 따라 달라지지 않고 변함없이.
一直，总是
无论何时；或指不管什么时候都没变地。

최고 (名词) : 가장 좋거나 뛰어난 것.
最；最佳
最好或最出色的。

이다 : 주어가 지시하는 대상의 속성이나 부류를 지정하는 뜻을 나타내는 서술격 조사.
无对应词汇
谓格助词。表示指定主语所指示的属性或类型。

-야 : (두루낮춤으로) 어떤 사실에 대하여 서술하거나 물음을 나타내는 종결 어미.
无对应词汇
(普卑)终结语尾。表示叙述或询问某个事实。<叙述>

최고, 최고, 아빠 최고.

최고 (名词) : 가장 좋거나 뛰어난 것.
最；最佳
最好或最出色的。

아빠 (名词) : 격식을 갖추지 않아도 되는 상황에서 아버지를 이르거나 부르는 말.
爸爸
在非正式场合用于指称或称呼父亲。

최고 (名词) : 가장 좋거나 뛰어난 것.
最；最佳
最好或最出色的。

엄마 최고, 아빠 최고, 엄마 최고, 아빠 최고.

엄마 (名词) : 격식을 갖추지 않아도 되는 상황에서 어머니를 이르거나 부르는 말.
妈妈
在非正式场合用于指称或称呼母亲。

최고 (名词) : 가장 좋거나 뛰어난 것.
最；最佳
最好或最出色的。

아빠 (名词) : 격식을 갖추지 않아도 되는 상황에서 아버지를 이르거나 부르는 말.
爸爸
在非正式场合用于指称或称呼父亲。

최고 (名词) : 가장 좋거나 뛰어난 것.
最；最佳
最好或最出色的。

< 2 절(节) >

언니, 햄버거 먹+[고 싶]+어.

언니 (名词) : 여자가 형제나 친척 형제들 중에서 자기보다 나이가 많은 여자를 이르거나 부르는 말.
姐姐
女子用于指称或称呼兄弟姐妹或亲戚兄弟姐妹中比自己年长的女性。

햄버거 (名词) : 둥근 빵 사이에 고기와 채소와 치즈 등을 끼운 음식.
汉堡包，汉堡
把肉、蔬菜和芝士等夹在圆面包里的食物。

먹다 (动词) : 음식 등을 입을 통하여 배 속에 들여보내다.
吃
将食物送进口中并咽下。

-고 싶다 : 앞의 말이 나타내는 행동을 하기를 원함을 나타내는 표현.
想，要
表示有做前面行动的意愿。

-어 : (두루낮춤으로) 어떤 사실을 서술하거나 물음, 명령, 권유를 나타내는 종결 어미.
无对应词汇
(普卑)终结语尾。表示陈述某种事实、询问、命令或劝说。<叙述>

오빠, 돈가스 먹+[고 싶]+어.

오빠 (名词) : 여자가 형제나 친척 형제들 중에서 자기보다 나이가 많은 남자를 이르거나 부르는 말.
哥哥
女子用于指称或称呼兄弟姐妹或亲戚兄弟姐妹中比自己年长的男性。

돈가스 (名词) : 도톰하게 썬 돼지고기를 양념하여 빵가루를 묻히고 기름에 튀긴 음식.
韩式炸猪排
把稍厚的猪肉放入调料腌制后沾上面包粉，再油炸而成的食物。

먹다 (动词) : 음식 등을 입을 통하여 배 속에 들여보내다.
吃
将食物送进口中并咽下。

-고 싶다 : 앞의 말이 나타내는 행동을 하기를 원함을 나타내는 표현.
想，要
表示有做前面行动的意愿。

-어 : (두루낮춤으로) 어떤 사실을 서술하거나 물음, 명령, 권유를 나타내는 종결 어미.
无对应词汇
(普卑)终结语尾。表示陈述某种事实、询问、命令或劝说。<叙述>

햄버거 먹+[고 싶]+어.

햄버거 (名词) : 둥근 빵 사이에 고기와 채소와 치즈 등을 끼운 음식.
汉堡包，汉堡
把肉、蔬菜和芝士等夹在圆面包里的食物。

먹다 (动词) : 음식 등을 입을 통하여 배 속에 들여보내다.
吃
将食物送进口中并咽下。

-고 싶다 : 앞의 말이 나타내는 행동을 하기를 원함을 나타내는 표현.
想，要
表示有做前面行动的意愿。

-어 : (두루낮춤으로) 어떤 사실을 서술하거나 물음, 명령, 권유를 나타내는 종결 어미.
无对应词汇
(普卑)终结语尾。表示陈述某种事实、询问、命令或劝说。<叙述>

돈가스 먹+[고 싶]+어.

돈가스 (名词) : 도톰하게 썬 돼지고기를 양념하여 빵가루를 묻히고 기름에 튀긴 음식.
韩式炸猪排
把稍厚的猪肉放入调料腌制后沾上面包粉，再油炸而成的食物。

먹다 (动词) : 음식 등을 입을 통하여 배 속에 들여보내다.
吃
将食物送进口中并咽下。

-고 싶다 : 앞의 말이 나타내는 행동을 하기를 원함을 나타내는 표현.
想，要
表示有做前面行动的意愿。

-어 : (두루낮춤으로) 어떤 사실을 서술하거나 물음, 명령, 권유를 나타내는 종결 어미.
无对应词汇
(普卑)终结语尾。表示陈述某种事实、询问、命令或劝说。<叙述>

시키+[어 주]+어, 시키+[어 주]+어.

시켜 줘　　　시켜 줘

시키다 (动词) : 음식이나 술, 음료 등을 주문하다.
点，叫
下单购买食物、酒、饮料等。

-어 주다 : 남을 위해 앞의 말이 나타내는 행동을 함을 나타내는 표현.
给
表示为别人做前面表达的行动。

-어 : (두루낮춤으로) 어떤 사실을 서술하거나 물음, 명령, 권유를 나타내는 종결 어미.
无对应词汇
(普卑)终结语尾。表示陈述某种事实、询问、命令或劝说。<命令>

전부 시키+[어 주]+어.
시켜 줘

전부 (副词) : 빠짐없이 다.
全部
一个不漏全都。

시키다 (动词) : 음식이나 술, 음료 등을 주문하다.
点，叫
下单购买食物、酒、饮料等。

-어 주다 : 남을 위해 앞의 말이 나타내는 행동을 함을 나타내는 표현.
给
表示为别人做前面表达的行动。

-어 : (두루낮춤으로) 어떤 사실을 서술하거나 물음, 명령, 권유를 나타내는 종결 어미.
无对应词汇
(普卑)终结语尾。表示陈述某种事实、询问、命令或劝说。<命令>

시키+어, 뭐+든지 시키+어.
시켜 시켜

시키다 (动词) : 음식이나 술, 음료 등을 주문하다.
点，叫
下单购买食物、酒、饮料等。

-어 : (두루낮춤으로) 어떤 사실을 서술하거나 물음, 명령, 권유를 나타내는 종결 어미.
无对应词汇
(普卑)终结语尾。表示陈述某种事实、询问、命令或劝说。<命令>

뭐 (代词) : 정해지지 않은 대상이나 굳이 이름을 밝힐 필요가 없는 대상을 가리키는 말.
什么
指代不确定的对象或无需指明名字的对象。

든지 : 어느 것이 선택되어도 차이가 없음을 나타내는 조사.
无对应词汇
助词。表示选哪个都一样。

시키다 (动词) : 음식이나 술, 음료 등을 주문하다.
点，叫
下单购买食物、酒、饮料等。

-어 : (두루낮춤으로) 어떤 사실을 서술하거나 물음, 명령, 권유를 나타내는 종결 어미.
无对应词汇
(普卑)终结语尾。表示陈述某种事实、询问、命令或劝说。<命令>

시키+어, 전부 다 시키+어.
시켜 시켜

시키다 (动词) : 음식이나 술, 음료 등을 주문하다.
点，叫
下单购买食物、酒、饮料等。

-어 : (두루낮춤으로) 어떤 사실을 서술하거나 물음, 명령, 권유를 나타내는 종결 어미.
无对应词汇
(普卑)终结语尾。表示陈述某种事实、询问、命令或劝说。<命令>

전부 (副词) : 빠짐없이 다.
全部
一个不漏全都。

다 (副词) : 남거나 빠진 것이 없이 모두.
全，都
一点不剩或不落下而全部。

시키다 (动词) : 음식이나 술, 음료 등을 주문하다.
点，叫
下单购买食物、酒、饮料等。

-어 : (두루낮춤으로) 어떤 사실을 서술하거나 물음, 명령, 권유를 나타내는 종결 어미.
无对应词汇
(普卑)终结语尾。表示陈述某种事实、询问、命令或劝说。<命令>

먹+[고 싶]+[은 거], 맛보+[고 싶]+[은 거] 전부 다 시키+어.

시켜

먹다 (动词) : 음식 등을 입을 통하여 배 속에 들여보내다.
吃
将食物送进口中并咽下。

-고 싶다 : 앞의 말이 나타내는 행동을 하기를 원함을 나타내는 표현.
想，要
表示有做前面行动的意愿。

-은 거 : 명사가 아닌 것을 문장에서 명사처럼 쓰이게 하거나 '이다' 앞에 쓰일 수 있게 할 때 쓰는 표현.
无对应词汇
用于使非名词在句中用作名词，或使其可出现在"이다"前面。

맛보다 (动词) : 음식의 맛을 알기 위해 먹어 보다.
品尝
为了了解食物的味道而尝一下。

-고 싶다 : 앞의 말이 나타내는 행동을 하기를 원함을 나타내는 표현.
想，要
表示有做前面行动的意愿。

-은 거 : 명사가 아닌 것을 문장에서 명사처럼 쓰이게 하거나 '이다' 앞에 쓰일 수 있게 할 때 쓰는 표현.
无对应词汇
用于使非名词在句中用作名词，或使其可出现在"이다"前面。

전부 (副词) : 빠짐없이 다.
全部
一个不漏全都。

다 (副词) : 남거나 빠진 것이 없이 모두.
全，都
一点不剩或不落下而全部。

시키다 (动词) : 음식이나 술, 음료 등을 주문하다.
点，叫
下单购买食物、酒、饮料等。

-어 : (두루낮춤으로) 어떤 사실을 서술하거나 물음, 명령, 권유를 나타내는 종결 어미.
无对应词汇
(普卑)终结语尾。表示陈述某种事实、询问、命令或劝说。<命令>

초밥+도, 짜장면+도, 짬뽕+도, 탕수육+도.

초밥 (名词) : 식초와 소금으로 간을 하여 작게 뭉친 흰밥에 생선을 얹거나 김, 유부 등으로 싸서 만든 일본 음식.

寿司

在用醋和盐调味的小团米饭上面，放上生鱼片、紫菜、油豆腐等而做成的日本料理。

도 : 둘 이상의 것을 나열함을 나타내는 조사.

无对应词汇

助词。表示同时举出两个以上的事物。

짜장면 (名词) : 중국식 된장에 고기와 채소 등을 넣어 볶은 양념에 면을 비벼 먹는 음식.

韩式炸酱面

将肉类、蔬菜等食材伴着春酱炒成调料酱，再浇在面条上拌着吃的食物。

도 : 둘 이상의 것을 나열함을 나타내는 조사.

无对应词汇

助词。表示同时举出两个以上的事物。

짬뽕 (名词) : 여러 가지 해물과 야채를 볶고 매콤한 국물을 부어 만든 중국식 국수.

韩式炒码面，韩式海鲜辣汤面

将各种海鲜和蔬菜炒熟，并倒入辣汤煮至而成的中式面条。

도 : 둘 이상의 것을 나열함을 나타내는 조사.

无对应词汇

助词。表示同时举出两个以上的事物。

탕수육 (名词) : 튀김옷을 입혀 튀긴 고기에 식초, 간장, 설탕, 채소 등을 넣고 끓인 녹말 물을 부어 만든 중국요리.

韩式糖醋肉片

猪肉上裹面衣而油炸后，再倒进用醋、酱油、白糖、蔬菜熬的淀粉汤而成的中国料理。

도 : 둘 이상의 것을 나열함을 나타내는 조사.

无对应词汇

助词。表示同时举出两个以上的事物。

떡볶이+도, 순대+도, 김밥+도, 냉면+도.

떡볶이 (名词) : 적당히 자른 가래떡에 간장이나 고추장 등의 양념과 여러 가지 채소를 넣고 볶은 음식.

辣炒年糕

将长条年糕切成适当大小，加入酱油或辣椒酱等调料和各种蔬菜一同炒熟的食物。

도 : 둘 이상의 것을 나열함을 나타내는 조사.
无対应词汇
助词。表示同时举出两个以上的事物。

순대 (名词) : 당면, 두부, 찹쌀 등을 양념하여 돼지의 창자 속에 넣고 찐 음식.
血肠，米肠
在粉条、豆腐和糯米等食材中放入作料后，灌进猪肠子里，并上锅蒸熟而成的食物。

도 : 둘 이상의 것을 나열함을 나타내는 조사.
无対应词汇
助词。表示同时举出两个以上的事物。

김밥 (名词) : 밥과 여러 가지 반찬을 김으로 말아 싸서 썰어 먹는 음식.
紫菜卷饭，紫菜包饭
用紫菜将米饭和各种菜包卷起来，再切成适当大小的食物。

도 : 둘 이상의 것을 나열함을 나타내는 조사.
无対应词汇
助词。表示同时举出两个以上的事物。

냉면 (名词) : 국수를 냉국이나 김칫국 등에 말거나 고추장 양념에 비벼서 먹는 음식.
冷面
一种将面条用凉汤或辛奇汤汁泡着吃，或用辣椒酱拌着吃的食物。

도 : 둘 이상의 것을 나열함을 나타내는 조사.
无対应词汇
助词。表示同时举出两个以上的事物。

시키+어, 시키+어, 뭐+든지 시키+어.
시켜 시켜 시켜

시키다 (动词) : 음식이나 술, 음료 등을 주문하다.
点，叫
下单购买食物、酒、饮料等。

-어 : (두루낮춤으로) 어떤 사실을 서술하거나 물음, 명령, 권유를 나타내는 종결 어미.
无対应词汇
(普卑)终结语尾。表示陈述某种事实、询问、命令或劝说。<命令>

뭐 (代词) : 정해지지 않은 대상이나 굳이 이름을 밝힐 필요가 없는 대상을 가리키는 말.
什么
指代不确定的对象或无需指明名字的对象。

든지 : 어느 것이 선택되어도 차이가 없음을 나타내는 조사.
无对应词汇
助词。表示选哪个都一样。

시키다 (动词) : 음식이나 술, 음료 등을 주문하다.
点，叫
下单购买食物、酒、饮料等。

-어 : (두루낮춤으로) 어떤 사실을 서술하거나 물음, 명령, 권유를 나타내는 종결 어미.
无对应词汇
(普卑)终结语尾。表示陈述某种事实、询问、命令或劝说。<命令>

먹+[고 싶]+[은 거] 다 시키+어.
시켜

먹다 (动词) : 음식 등을 입을 통하여 배 속에 들여보내다.
吃
将食物送进口中并咽下。

-고 싶다 : 앞의 말이 나타내는 행동을 하기를 원함을 나타내는 표현.
想，要
表示有做前面行动的意愿。

-은 거 : 명사가 아닌 것을 문장에서 명사처럼 쓰이게 하거나 '이다' 앞에 쓰일 수 있게 할 때 쓰는 표현.
无对应词汇
用于使非名词在句中用作名词，或使其可出现在"이다"前面。

다 (副词) : 남거나 빠진 것이 없이 모두.
全，都
一点不剩或不落下而全部。

시키다 (动词) : 음식이나 술, 음료 등을 주문하다.
点，叫
下单购买食物、酒、饮料等。

-어 : (두루낮춤으로) 어떤 사실을 서술하거나 물음, 명령, 권유를 나타내는 종결 어미.
无对应词汇
(普卑)终结语尾。表示陈述某种事实、询问、命令或劝说。<命令>

뭐+든지 다 시키+[어 주]+ㄹ게.
시켜 줄게

뭐 (代词) : 정해지지 않은 대상이나 굳이 이름을 밝힐 필요가 없는 대상을 가리키는 말.
什么
指代不确定的对象或无需指明名字的对象。

든지 : 어느 것이 선택되어도 차이가 없음을 나타내는 조사.
无对应词汇
助词。表示选哪个都一样。

다 (副词) : 남거나 빠진 것이 없이 모두.
全，都
一点不剩或不落下而全部。

시키다 (动词) : 음식이나 술, 음료 등을 주문하다.
点，叫
下单购买食物、酒、饮料等。

-어 주다 : 남을 위해 앞의 말이 나타내는 행동을 함을 나타내는 표현.
给
表示为别人做前面表达的行动。

-ㄹ게 : (두루낮춤으로) 말하는 사람이 어떤 행동을 할 것을 듣는 사람에게 약속하거나 의지를 나타내는 종결 어미.
无对应词汇
(普卑)终结语尾，说话人向听话人约定做某个行动或表达做某个行动的意志。

전부 다 시키+[어 주]+ㄹ게.
시켜 줄게

전부 (副词) : 빠짐없이 다.
全部
一个不漏全都。

다 (副词) : 남거나 빠진 것이 없이 모두.
全，都
一点不剩或不落下而全部。

시키다 (动词) : 음식이나 술, 음료 등을 주문하다.
点，叫
下单购买食物、酒、饮料等。

-어 주다 : 남을 위해 앞의 말이 나타내는 행동을 함을 나타내는 표현.
给
表示为别人做前面表达的行动。

-ㄹ게 : (두루낮춤으로) 말하는 사람이 어떤 행동을 할 것을 듣는 사람에게 약속하거나 의지를 나타내는 종결 어미.
无对应词汇
(普卑)终结语尾，说话人向听话人约定做某个行动或表达做某个行动的意志。

언니+는 언제나 최고+(이)+야.
언닌 최고야

언니 (名词) : 여자가 형제나 친척 형제들 중에서 자기보다 나이가 많은 여자를 이르거나 부르는 말.
姐姐
女子用于指称或称呼兄弟姐妹或亲戚兄弟姐妹中比自己年长的女性。

는 : 문장 속에서 어떤 대상이 화제임을 나타내는 조사.
无对应词汇
助词。表示文中某个对象成为话题。

언제나 (副词) : 어느 때에나. 또는 때에 따라 달라지지 않고 변함없이.
一直，总是
无论何时；或指不管什么时候都没变地。

최고 (名词) : 가장 좋거나 뛰어난 것.
最；最佳
最好或最出色的。

이다 : 주어가 지시하는 대상의 속성이나 부류를 지정하는 뜻을 나타내는 서술격 조사.
无对应词汇
谓格助词。表示指定主语所指示的属性或类型。

-야 : (두루낮춤으로) 어떤 사실에 대하여 서술하거나 물음을 나타내는 종결 어미.
无对应词汇
(普卑)终结语尾。表示叙述或询问某个事实。<叙述>

최고, 최고, 최고.

최고 (名词) : 가장 좋거나 뛰어난 것.
最；最佳
最好或最出色的。

오빠+는 언제나 최고+(이)+야.
오빤 최고야

오빠 (名词) : 여자가 형제나 친척 형제들 중에서 자기보다 나이가 많은 남자를 이르거나 부르는 말.
哥哥
女子用于指称或称呼兄弟姐妹或亲戚兄弟姐妹中比自己年长的男性。

는 : 문장 속에서 어떤 대상이 화제임을 나타내는 조사.
无对应词汇
助词。表示文中某个对象成为话题。

언제나 (副词) : 어느 때에나. 또는 때에 따라 달라지지 않고 변함없이.
一直，总是
无论何时；或指不管什么时候都没变地。

최고 (名词) : 가장 좋거나 뛰어난 것.
最；最佳
最好或最出色的。

이다 : 주어가 지시하는 대상의 속성이나 부류를 지정하는 뜻을 나타내는 서술격 조사.
无对应词汇
谓格助词。表示指定主语所指示的属性或类型。

-야 : (두루낮춤으로) 어떤 사실에 대하여 서술하거나 물음을 나타내는 종결 어미.
无对应词汇
(普卑)终结语尾。表示叙述或询问某个事实。<叙述>

최고, 최고, 오빠 최고.

최고 (名词) : 가장 좋거나 뛰어난 것.
最；最佳
最好或最出色的。

오빠 (名词) : 여자가 형제나 친척 형제들 중에서 자기보다 나이가 많은 남자를 이르거나 부르는 말.
哥哥
女子用于指称或称呼兄弟姐妹或亲戚兄弟姐妹中比自己年长的男性。

최고 (名词) : 가장 좋거나 뛰어난 것.
最；最佳
最好或最出色的。

엄마+가 최고+(이)+야, 엄마 최고.

최고야

엄마 (名词) : 격식을 갖추지 않아도 되는 상황에서 어머니를 이르거나 부르는 말.
妈妈
在非正式场合用于指称或称呼母亲。

가 : 어떤 상태나 상황에 놓인 대상이나 동작의 주체를 나타내는 조사.
无对应词汇
助词。表示行为的主体或状态描述的对象。

최고 (名词) : 가장 좋거나 뛰어난 것.
最；最佳
最好或最出色的。

이다 : 주어가 지시하는 대상의 속성이나 부류를 지정하는 뜻을 나타내는 서술격 조사.
无对应词汇
谓格助词。表示指定主语所指示的属性或类型。

-야 : (두루낮춤으로) 어떤 사실에 대하여 서술하거나 물음을 나타내는 종결 어미.
无对应词汇
(普卑)终结语尾。表示叙述或询问某个事实。<叙述>

엄마 (名词) : 격식을 갖추지 않아도 되는 상황에서 어머니를 이르거나 부르는 말.
妈妈
在非正式场合用于指称或称呼母亲。

최고 (名词) : 가장 좋거나 뛰어난 것.
最；最佳
最好或最出色的。

아빠+가 최고+(이)+야, 아빠 최고.
최고야

아빠 (名词) : 격식을 갖추지 않아도 되는 상황에서 아버지를 이르거나 부르는 말.
爸爸
在非正式场合用于指称或称呼父亲。

가 : 어떤 상태나 상황에 놓인 대상이나 동작의 주체를 나타내는 조사.
无对应词汇
助词。表示行为的主体或状态描述的对象。

최고 (名词) : 가장 좋거나 뛰어난 것.
最；最佳
最好或最出色的。

이다 : 주어가 지시하는 대상의 속성이나 부류를 지정하는 뜻을 나타내는 서술격 조사.
无对应词汇
谓格助词。表示指定主语所指示的属性或类型。

-야 : (두루낮춤으로) 어떤 사실에 대하여 서술하거나 물음을 나타내는 종결 어미.
无对应词汇
(普卑)终结语尾。表示叙述或询问某个事实。<叙述>

아빠 (名词) : 격식을 갖추지 않아도 되는 상황에서 아버지를 이르거나 부르는 말.
爸爸
在非正式场合用于指称或称呼父亲。

최고 (名词) : 가장 좋거나 뛰어난 것.
最；最佳
最好或最出色的。

최고, 최고, 언니 최고.

최고 (名词) : 가장 좋거나 뛰어난 것.
最；最佳
最好或最出色的。

언니 (名词) : 여자가 형제나 친척 형제들 중에서 자기보다 나이가 많은 여자를 이르거나 부르는 말.
姐姐
女子用于指称或称呼兄弟姐妹或亲戚兄弟姐妹中比自己年长的女性。

최고 (名词) : 가장 좋거나 뛰어난 것.
最；最佳
最好或最出色的。

오빠+가 최고+(이)+야, 오빠 최고.
최고야

오빠 (名词) : 여자가 형제나 친척 형제들 중에서 자기보다 나이가 많은 남자를 이르거나 부르는 말.
哥哥
女子用于指称或称呼兄弟姐妹或亲戚兄弟姐妹中比自己年长的男性。

가 : 어떤 상태나 상황에 놓인 대상이나 동작의 주체를 나타내는 조사.
无对应词汇
助词。表示行为的主体或状态描述的对象。

최고 (名词) : 가장 좋거나 뛰어난 것.
最；最佳
最好或最出色的。

이다 : 주어가 지시하는 대상의 속성이나 부류를 지정하는 뜻을 나타내는 서술격 조사.
无对应词汇
谓格助词。表示指定主语所指示的属性或类型。

-야 : (두루낮춤으로) 어떤 사실에 대하여 서술하거나 물음을 나타내는 종결 어미.
无对应词汇
(普卑)终结语尾。表示叙述或询问某个事实。<叙述>

오빠 (名词) : 여자가 형제나 친척 형제들 중에서 자기보다 나이가 많은 남자를 이르거나 부르는 말.
哥哥
女子用于指称或称呼兄弟姐妹或亲戚兄弟姐妹中比自己年长的男性。

최고 (名词) : 가장 좋거나 뛰어난 것.
最；最佳
最好或最出色的。

< 9 >

어쩌라고?

나한테 어떻게 하라고?
(你想要我做什么?)

[발음(发音)]

< 1 절(节) >

가라고, 가라고, 가라고.
가라고, 가라고, 가라고.
garago, garago, garago.

보기 싫으니까 가라고, 가라고.
보기 시르니까 가라고, 가라고.
bogi sireunikka garago, garago.

알았어.
아라써.
arasseo.

나 갈게.
나 갈게.
na galge.

가란다고 진짜 가.
가란다고 진짜 가.
garandago jinjja ga.

알았어.
아라써.
arasseo.

안 갈게.
안 갈께.
an galge.

가라는데 왜 안 가?
가라는데 왜 안 가?
garaneunde wae an ga?

알았어.
아라써.
arasseo.

가면 되지.
가면 되지,
gamyeon doeji.

가라고 하면 안 가야지.
가라고 하면 안 가야지.
garago hamyeon an gayaji.

짜증 나, 짜증 나, 짜증 나.
짜증 나, 짜증 나, 짜증 나.
jjajeung na, jjajeung na, jjajeung na.

어쩌라고? 어쩌라고? 어쩌라고? 어쩌라고?
어쩌라고? 어쩌라고? 어쩌라고? 어쩌라고?
eojjeorago? eojjeorago? eojjeorago? eojjeorago?

도대체 나보고 어쩌라고?
도대체 나보고 어쩌라고?
dodaeche nabogo eojjeorago?

도대체 나보고 어쩌라고?
도대체 나보고 어쩌라고?
dodaeche nabogo eojjeorago?

도대체 나보고 어쩌라고?
도대체 나보고 어쩌라고?
dodaeche nabogo eojjeorago?

어쩌라고?
어쩌라고?
eojjeorago?

< 2 절(节) >

왜 안 가?
왜 안 가?
wae an ga?

왜 안 가?
왜 안 가?
wae an ga?

왜 안 가?
왜 안 가?
wae an ga?

가라는데 왜 안 가?
가라는데 왜 안 가?
garaneunde wae an ga?

왜 안 가?
왜 안 가?
wae an ga?

알았어.
아라써.
arasseo.

가면 되지.
가면 되지.
gamyeon doeji.

가란다고 진짜 가.
가란다고 진짜 가.
garandago jinjja ga.

가라는데 왜 안 가?
가라는데 왜 안 가?
garaneunde wae an ga?

가도 화내.
가도 화내.
gado hwanae.

안 가도 화내.
안 가도 화내.
an gado hwanae.

짜증 나, 짜증 나, 짜증 나.
짜증 나, 짜증 나, 짜증 나.
jjajeung na, jjajeung na, jjajeung na.

어쩌라고? 어쩌라고? 어쩌라고? 어쩌라고?
어쩌라고? 어쩌라고? 어쩌라고? 어쩌라고?
eojjeorago? eojjeorago? eojjeorago? eojjeorago?

도대체 나보고 어쩌라고?
도대체 나보고 어쩌라고?
dodaeche nabogo eojjeorago?

도대체 나보고 어쩌라고?
도대체 나보고 어쩌라고?
dodaeche nabogo eojjeorago?

도대체 나보고 어쩌라고?
도대체 나보고 어쩌라고?
dodaeche nabogo eojjeorago?

어쩌라고?
어쩌라고?
eojjeorago?

가라고, 가라고, 가라고.
가라고, 가라고, 가라고.
garago, garago, garago.

보기 싫으니까 가라고, 가라고.
보기 시르니까 가라고, 가라고.
bogi sireunikka garago, garago.

알았어.
아라써
arasseo.

나 갈게.
나 갈께
na galge.

어쩌라고?
어쩌라고?
eojjeorago?

< 1 절(节) >

가+라고, 가+라고, 가+라고.

가다 (动词) : 한 곳에서 다른 곳으로 장소를 이동하다.
去
从一个地方移动到另一个地方。

-라고 : (두루낮춤으로) 말하는 사람의 생각이나 주장을 듣는 사람에게 강조하여 말함을 나타내는 종결 어미.
无对应词汇
(普卑)终结语尾。表示说话人向听话人强调自己的想法或主张。

보+기 싫+으니까 가+라고, 가+라고.

보다 (动词) : 눈으로 대상의 존재나 겉모습을 알다.
看
用眼睛识辨对象的存在或外观。

-기 : 앞의 말이 명사의 기능을 하게 하는 어미.
无对应词汇
语尾。使前面的词语具有名词功能。

싫다 (形容词) : 어떤 일을 하고 싶지 않다.
不愿意，不想
不情愿做某事。

-으니까 : 뒤에 오는 말에 대하여 앞에 오는 말이 원인이나 근거, 전제가 됨을 강조하여 나타내는 연결 어미.
无对应词汇
连接语尾。表示强调前句为后句的原因、依据或前提。

가다 (动词) : 한 곳에서 다른 곳으로 장소를 이동하다.
去
从一个地方移动到另一个地方。

-라고 : (두루낮춤으로) 말하는 사람의 생각이나 주장을 듣는 사람에게 강조하여 말함을 나타내는 종결 어미.
无对应词汇
(普卑)终结语尾。表示说话人向听话人强调自己的想法或主张。

알+았+어.

알다 (动词) : 상대방의 어떤 명령이나 요청에 대해 그대로 하겠다는 동의의 뜻을 나타내는 말.
懂，明白
对于对方的某个命令或请求，同意听从。

-았- : 어떤 사건이 과거에 완료되었거나 그 사건의 결과가 현재까지 지속되는 상황을 나타내는 어미.
无对应词汇
语尾。表示某一事件已结束或其结果保持到现在。

-어 : (두루낮춤으로) 어떤 사실을 서술하거나 물음, 명령, 권유를 나타내는 종결 어미.
无对应词汇
(普卑)终结语尾。表示陈述某种事实、询问、命令或劝说。<叙述>

나 가+ㄹ게.

갈게

나 (代词) : 말하는 사람이 친구나 아랫사람에게 자기를 가리키는 말.
我
说话人在朋友或晚辈面前用来指称自己。

가다 (动词) : 한 곳에서 다른 곳으로 장소를 이동하다.
去
从一个地方移动到另一个地方。

-ㄹ게 : (두루낮춤으로) 말하는 사람이 어떤 행동을 할 것을 듣는 사람에게 약속하거나 의지를 나타내는 종결 어미.
无对应词汇
(普卑)终结语尾，说话人向听话人约定做某个行动或表达做某个行动的意志。

가+라고 하+ㄴ다고 진짜 가+(아).
가란다고 가

가다 (动词) : 한 곳에서 다른 곳으로 장소를 이동하다.
去
从一个地方移动到另一个地方。

-라고 : 다른 사람에게서 들은 내용을 간접적으로 전달하거나 주어의 생각, 의견 등을 나타내는 표현.
无对应词汇
用于间接转述他人所说的话或表达主语的想法、意见等。

하다 (动词) : 무엇에 대해 말하다.
无对应词汇
表示引用。

-ㄴ다고 : 어떤 행위의 목적, 의도를 나타내거나 어떤 상황의 이유, 원인을 나타내는 연결 어미.
无对应词汇
连接语尾。表示某种行为的目的、意图或某种状况的理由、原因。

진짜 (副词) : 꾸밈이나 거짓이 없이 참으로.
真的
没有假装或虚假而真正地。

가다 (动词) : 한 곳에서 다른 곳으로 장소를 이동하다.
去
从一个地方移动到另一个地方。

-아 : (두루낮춤으로) 어떤 사실을 서술하거나 물음, 명령, 권유를 나타내는 종결 어미.
无对应词汇
(普卑)终结语尾。表示陈述、询问、命令或劝说某种事实。<叙述>

알+았+어.

알다 (动词) : 상대방의 어떤 명령이나 요청에 대해 그대로 하겠다는 동의의 뜻을 나타내는 말.
懂，明白
对于对方的某个命令或请求，同意听从。

-았- : 어떤 사건이 과거에 완료되었거나 그 사건의 결과가 현재까지 지속되는 상황을 나타내는 어미.
无对应词汇
语尾。表示某一事件已结束或其结果保持到现在。

-어 : (두루낮춤으로) 어떤 사실을 서술하거나 물음, 명령, 권유를 나타내는 종결 어미.
无对应词汇
(普卑)终结语尾。表示陈述某种事实、询问、命令或劝说。<叙述>

안 가+ㄹ게.
갈게

안 (副词) : 부정이나 반대의 뜻을 나타내는 말.
不
表示否定或反对。

가다 (动词) : 한 곳에서 다른 곳으로 장소를 이동하다.
去
从一个地方移动到另一个地方。

-ㄹ게 : (두루낮춤으로) 말하는 사람이 어떤 행동을 할 것을 듣는 사람에게 약속하거나 의지를 나타내는 종결 어미.
无对应词汇
(普卑)终结语尾，说话人向听话人约定做某个行动或表达做某个行动的意志。

가+라는데 왜 안 가+(아)?
가

가다 (动词) : 한 곳에서 다른 곳으로 장소를 이동하다.
去
从一个地方移动到另一个地方。

-라는데 : 명령이나 요청 등의 말을 전달하며 자신의 말을 이어 나타내는 표현.
无对应词汇
表示转达命令或请求等词语，接着说出自己想说的话。

왜 (副词) : 무슨 이유로. 또는 어째서.
为什么
因什么原因；或指怎么。

안 (副词) : 부정이나 반대의 뜻을 나타내는 말.
不
表示否定或反对。

가다 (动词) : 한 곳에서 다른 곳으로 장소를 이동하다.
去
从一个地方移动到另一个地方。

-아 : (두루낮춤으로) 어떤 사실을 서술하거나 물음, 명령, 권유를 나타내는 종결 어미.
无对应词汇
(普卑)终结语尾。表示陈述、询问、命令或劝说某种事实。<提问>

알+았+어.

알다 (动词) : 상대방의 어떤 명령이나 요청에 대해 그대로 하겠다는 동의의 뜻을 나타내는 말.
懂，明白
对于对方的某个命令或请求，同意听从。

-았- : 어떤 사건이 과거에 완료되었거나 그 사건의 결과가 현재까지 지속되는 상황을 나타내는 어미.
无对应词汇
语尾。表示某一事件已结束或其结果保持到现在。

-어 : (두루낮춤으로) 어떤 사실을 서술하거나 물음, 명령, 권유를 나타내는 종결 어미.
无对应词汇
(普卑)终结语尾。表示陈述某种事实、询问、命令或劝说。<叙述>

가+[면 되]+지.

가다 (动词) : 한 곳에서 다른 곳으로 장소를 이동하다.
去
从一个地方移动到另一个地方。

-면 되다 : 조건이 되는 어떤 행동을 하거나 어떤 상태만 갖추어지면 문제가 없거나 충분함을 나타내는 표현.
无对应词汇
表示只要做满足条件的某个行动或具备满足条件的某个状态，就没有问题或足够。

-지 : (두루낮춤으로) 말하는 사람이 자신에 대한 이야기나 자신의 생각을 친근하게 말할 때 쓰는 종결 어미.
无对应词汇
(普卑)终结语尾。表示说话人亲切地说出自己的故事或想法。

가+라고 하+면 안 가+(아)야지.
가야지

가다 (动词) : 한 곳에서 다른 곳으로 장소를 이동하다.
去
从一个地方移动到另一个地方。

-라고 : 다른 사람에게서 들은 내용을 간접적으로 전달하거나 주어의 생각, 의견 등을 나타내는 표현.
无对应词汇
用于间接转述他人所说的话或表达主语的想法、意见等。

하다 (动词) : 무엇에 대해 말하다.
无对应词汇
表示引用。

-면 : 뒤에 오는 말에 대한 근거나 조건이 됨을 나타내는 연결 어미.
无对应词汇
连接语尾。表示前句为后句的根据或条件。

안 (副词) : 부정이나 반대의 뜻을 나타내는 말.
不
表示否定或反对。

가다 (动词) : 한 곳에서 다른 곳으로 장소를 이동하다.
去
从一个地方移动到另一个地方。

-아야지 : (두루낮춤으로) 듣는 사람이나 다른 사람이 어떤 일을 해야 하거나 어떤 상태여야 함을 나타내는 종결 어미.
无对应词汇
(普卑)终结语尾。表示听话人或别人应该做某事或处于某种状态。

짜증 나+(아), 짜증 나+(아), 짜증 나+(아).
나 나 나

짜증 (名词) : 마음에 들지 않아서 화를 내거나 싫은 느낌을 겉으로 드러내는 일. 또는 그런 성미.
心烦，厌烦，闹心
由于不满意而发火或把厌恶之情表露于外；或指那样的性格。

나다 (动词) : 어떤 감정이나 느낌이 생기다.
生，产生
出现某种情感或感觉。

-아 : (두루낮춤으로) 어떤 사실을 서술하거나 물음, 명령, 권유를 나타내는 종결 어미.
无对应词汇
(普卑)终结语尾。表示陈述、询问、命令或劝说某种事实。<叙述>

어쩌+라고? 어쩌+라고? 어쩌+라고? 어쩌+라고?

어쩌다 (动词) : 무엇을 어떻게 하다.
怎么办
怎么做某事。

-라고 : (두루낮춤으로) 들은 사실을 되물으면서 확인함을 나타내는 종결 어미.
无对应词汇
(普卑)终结语尾。表示再次询问并确认听到的事实。

도대체 나+보고 어쩌+라고?

도대체 (副词) : 아주 궁금해서 묻는 말인데.
到底，究竟
非常好奇而问的话。

나 (代词) : 말하는 사람이 친구나 아랫사람에게 자기를 가리키는 말.
我
说话人在朋友或晚辈面前用来指称自己。

보고 : 어떤 행동이 미치는 대상임을 나타내는 조사.
无对应词汇
助词。表示某种行动所涉及的对象。

어쩌다 (动词) : 무엇을 어떻게 하다.
怎么办
怎么做某事。

-라고 : (두루낮춤으로) 들은 사실을 되물으면서 확인함을 나타내는 종결 어미.
无对应词汇
(普卑)终结语尾。表示再次询问并确认听到的事实。

어쩌+라고?

어쩌다 (动词) : 무엇을 어떻게 하다.
怎么办
怎么做某事。

-라고 : (두루낮춤으로) 들은 사실을 되물으면서 확인함을 나타내는 종결 어미.
无对应词汇
(普卑)终结语尾。表示再次询问并确认听到的事实。

< 2 절(节) >

왜 안 가+(아)? 왜 안 가+(아)? 왜 안 가+(아)?
가 가 가

왜 (副词) : 무슨 이유로. 또는 어째서.
为什么
因什么原因；或指怎么。

안 (副词) : 부정이나 반대의 뜻을 나타내는 말.
不
表示否定或反对。

가다 (动词) : 한 곳에서 다른 곳으로 장소를 이동하다.
去
从一个地方移动到另一个地方。

-아 : (두루낮춤으로) 어떤 사실을 서술하거나 물음, 명령, 권유를 나타내는 종결 어미.
无对应词汇
(普卑)终结语尾。表示陈述、询问、命令或劝说某种事实。<提问>

가+라는데 왜 안 가+(아)?
가

가다 (动词) : 한 곳에서 다른 곳으로 장소를 이동하다.
去
从一个地方移动到另一个地方。

-라는데 : 명령이나 요청 등의 말을 전달하며 자신의 말을 이어 나타내는 표현.
无对应词汇
表示转达命令或请求等词语，接着说出自己想说的话。

왜 (副词) : 무슨 이유로. 또는 어째서.
为什么
因什么原因；或指怎么。

안 (副词) : 부정이나 반대의 뜻을 나타내는 말.
不
表示否定或反对。

가다 (动词) : 한 곳에서 다른 곳으로 장소를 이동하다.
去
从一个地方移动到另一个地方。

-아 : (두루낮춤으로) 어떤 사실을 서술하거나 물음, 명령, 권유를 나타내는 종결 어미.
无对应词汇
(普卑)终结语尾。表示陈述、询问、命令或劝说某种事实。<提问>

왜 안 가+(아)?
가

왜 (副词) : 무슨 이유로. 또는 어째서.
为什么
因什么原因；或指怎么。

안 (副词) : 부정이나 반대의 뜻을 나타내는 말.
不
表示否定或反对。

가다 (动词) : 한 곳에서 다른 곳으로 장소를 이동하다.
去
从一个地方移动到另一个地方。

-아 : (두루낮춤으로) 어떤 사실을 서술하거나 물음, 명령, 권유를 나타내는 종결 어미.
无对应词汇
(普卑)终结语尾。表示陈述、询问、命令或劝说某种事实。<提问>

알+았+어.

알다 (动词) : 상대방의 어떤 명령이나 요청에 대해 그대로 하겠다는 동의의 뜻을 나타내는 말.
懂，明白
对于对方的某个命令或请求，同意听从。

-았- : 어떤 사건이 과거에 완료되었거나 그 사건의 결과가 현재까지 지속되는 상황을 나타내는 어미.
无对应词汇
语尾。表示某一事件已结束或其结果保持到现在。

-어 : (두루낮춤으로) 어떤 사실을 서술하거나 물음, 명령, 권유를 나타내는 종결 어미.
无对应词汇
(普卑)终结语尾。表示陈述某种事实、询问、命令或劝说。<叙述>

가+[면 되]+지.

가다 (动词) : 한 곳에서 다른 곳으로 장소를 이동하다.
去
从一个地方移动到另一个地方。

-면 되다 : 조건이 되는 어떤 행동을 하거나 어떤 상태만 갖추어지면 문제가 없거나 충분함을 나타내는 표현.
无对应词汇
表示只要做满足条件的某个行动或具备满足条件的某个状态，就没有问题或足够。

-지 : (두루낮춤으로) 말하는 사람이 자신에 대한 이야기나 자신의 생각을 친근하게 말할 때 쓰는 종결 어미.
无对应词汇
(普卑)终结语尾。表示说话人亲切地说出自己的故事或想法。

가+라고 하+ㄴ다고 진짜 가+(아).
가란다고 가

가다 (动词) : 한 곳에서 다른 곳으로 장소를 이동하다.
去
从一个地方移动到另一个地方。

-라고 : 다른 사람에게서 들은 내용을 간접적으로 전달하거나 주어의 생각, 의견 등을 나타내는 표현.
无对应词汇
用于间接转述他人所说的话或表达主语的想法、意见等。

하다 (动词) : 무엇에 대해 말하다.
无对应词汇
表示引用。

-ㄴ다고 : 어떤 행위의 목적, 의도를 나타내거나 어떤 상황의 이유, 원인을 나타내는 연결 어미.
无对应词汇
连接语尾。表示某种行为的目的、意图或某种状况的理由、原因。

진짜 (副词) : 꾸밈이나 거짓이 없이 참으로.
真的
没有假装或虚假而真正地。

가다 (动词) : 한 곳에서 다른 곳으로 장소를 이동하다.
去
从一个地方移动到另一个地方。

-아 : (두루낮춤으로) 어떤 사실을 서술하거나 물음, 명령, 권유를 나타내는 종결 어미.
无对应词汇
(普卑)终结语尾。表示陈述、询问、命令或劝说某种事实。<叙述>

가+라는데 왜 안 가+(아)?
가

가다 (动词) : 한 곳에서 다른 곳으로 장소를 이동하다.
去
从一个地方移动到另一个地方。

-라는데 : 명령이나 요청 등의 말을 전달하며 자신의 말을 이어 나타내는 표현.
无对应词汇
表示转达命令或请求等词语，接着说出自己想说的话。

왜 (副词) : 무슨 이유로. 또는 어째서.
为什么
因什么原因；或指怎么。

안 (副词) : 부정이나 반대의 뜻을 나타내는 말.
不
表示否定或反对。

가다 (动词) : 한 곳에서 다른 곳으로 장소를 이동하다.
去
从一个地方移动到另一个地方。

-아 : (두루낮춤으로) 어떤 사실을 서술하거나 물음, 명령, 권유를 나타내는 종결 어미.
无对应词汇
(普卑)终结语尾。表示陈述、询问、命令或劝说某种事实。<提问>

가+(아)도 화내+(어).
가도 화내

가다 (动词) : 한 곳에서 다른 곳으로 장소를 이동하다.
去
从一个地方移动到另一个地方。

-아도 : 앞에 오는 말을 가정하거나 인정하지만 뒤에 오는 말에는 관계가 없거나 영향을 끼치지 않음을 나타내는 연결 어미.
无对应词汇
连接语尾。表示虽然假设或承认前句某种状况，但和后句内容没有关系或不会对此造成影响。

화내다 (动词) : 몹시 기분이 상해 노여워하는 감정을 드러내다.
发火，生气
表现出心情非常不好，有怒气的感情。

-어 : (두루낮춤으로) 어떤 사실을 서술하거나 물음, 명령, 권유를 나타내는 종결 어미.
无对应词汇
(普卑)终结语尾。表示陈述某种事实、询问、命令或劝说。<叙述>

안 가+(아)도 화내+(어).
가도 화내

안 (副词) : 부정이나 반대의 뜻을 나타내는 말.
不
表示否定或反对。

가다 (动词) : 한 곳에서 다른 곳으로 장소를 이동하다.
去
从一个地方移动到另一个地方。

-아도 : 앞에 오는 말을 가정하거나 인정하지만 뒤에 오는 말에는 관계가 없거나 영향을 끼치지 않음을 나타내는 연결 어미.
无对应词汇
连接语尾。表示虽然假设或承认前句某种状况，但和后句内容没有关系或不会对此造成影响。

화내다 (动词) : 몹시 기분이 상해 노여워하는 감정을 드러내다.
发火，生气
表现出心情非常不好，有怒气的感情。

-어 : (두루낮춤으로) 어떤 사실을 서술하거나 물음, 명령, 권유를 나타내는 종결 어미.
无对应词汇
(普卑)终结语尾。表示陈述某种事实、询问、命令或劝说。<叙述>

짜증 나+(아), 짜증 나+(아), 짜증 나+(아).
나 나 나

짜증 (名词) : 마음에 들지 않아서 화를 내거나 싫은 느낌을 겉으로 드러내는 일. 또는 그런 성미.
心烦，厌烦，闹心
由于不满意而发火或把厌恶之情表露于外；或指那样的性格。

나다 (动词) : 어떤 감정이나 느낌이 생기다.
生，产生
出现某种情感或感觉。

-아 : (두루낮춤으로) 어떤 사실을 서술하거나 물음, 명령, 권유를 나타내는 종결 어미.
无对应词汇
(普卑)终结语尾。表示陈述、询问、命令或劝说某种事实。<叙述>

어쩌+라고? 어쩌+라고? 어쩌+라고? 어쩌+라고?

어쩌다 (动词) : 무엇을 어떻게 하다.
怎么办
怎么做某事。

-라고 : (두루낮춤으로) 들은 사실을 되물으면서 확인함을 나타내는 종결 어미.
无对应词汇
(普卑)终结语尾。表示再次询问并确认听到的事实。

도대체 나+보고 어쩌+라고?

도대체 (副词) : 아주 궁금해서 묻는 말인데.
到底，究竟
非常好奇而问的话。

나 (代词) : 말하는 사람이 친구나 아랫사람에게 자기를 가리키는 말.
我
说话人在朋友或晚辈面前用来指称自己。

보고 : 어떤 행동이 미치는 대상임을 나타내는 조사.
无对应词汇
助词。表示某种行动所涉及的对象。

어쩌다 (动词) : 무엇을 어떻게 하다.
怎么办
怎么做某事。

-라고 : (두루낮춤으로) 들은 사실을 되물으면서 확인함을 나타내는 종결 어미.
无对应词汇
(普卑)终结语尾。表示再次询问并确认听到的事实。

어쩌+라고?

어쩌다 (动词) : 무엇을 어떻게 하다.
怎么办
怎么做某事。

-라고 : (두루낮춤으로) 들은 사실을 되물으면서 확인함을 나타내는 종결 어미.
无对应词汇
(普卑)终结语尾。表示再次询问并确认听到的事实。

가+라고, 가+라고, 가+라고.

가다 (动词) : 한 곳에서 다른 곳으로 장소를 이동하다.
去
从一个地方移动到另一个地方。

-라고 : (두루낮춤으로) 말하는 사람의 생각이나 주장을 듣는 사람에게 강조하여 말함을 나타내는 종결 어미.
无对应词汇
(普卑)终结语尾。表示说话人向听话人强调自己的想法或主张。

보+기 싫+으니까 가+라고, 가+라고.

보다 (动词) : 눈으로 대상의 존재나 겉모습을 알다.
看
用眼睛识辨对象的存在或外观。

-기 : 앞의 말이 명사의 기능을 하게 하는 어미.
无对应词汇
语尾。使前面的词语具有名词功能。

싫다 (形容词) : 어떤 일을 하고 싶지 않다.
不愿意，不想
不情愿做某事。

-으니까 : 뒤에 오는 말에 대하여 앞에 오는 말이 원인이나 근거, 전제가 됨을 강조하여 나타내는 연결 어미.
无对应词汇
连接语尾。表示强调前句为后句的原因、依据或前提。

가다 (动词) : 한 곳에서 다른 곳으로 장소를 이동하다.
去
从一个地方移动到另一个地方。

-라고 : (두루낮춤으로) 말하는 사람의 생각이나 주장을 듣는 사람에게 강조하여 말함을 나타내는 종결 어미.
无对应词汇
(普卑)终结语尾。表示说话人向听话人强调自己的想法或主张。

알+았+어.

알다 (动词) : 상대방의 어떤 명령이나 요청에 대해 그대로 하겠다는 동의의 뜻을 나타내는 말.
懂，明白
对于对方的某个命令或请求，同意听从。

-았- : 어떤 사건이 과거에 완료되었거나 그 사건의 결과가 현재까지 지속되는 상황을 나타내는 어미.
无对应词汇
语尾。表示某一事件已结束或其结果保持到现在。

-어 : (두루낮춤으로) 어떤 사실을 서술하거나 물음, 명령, 권유를 나타내는 종결 어미.
无对应词汇
(普卑)终结语尾。表示陈述某种事实、询问、命令或劝说。<叙述>

나 가+ㄹ게.
갈게

나 (代词) : 말하는 사람이 친구나 아랫사람에게 자기를 가리키는 말.
我
说话人在朋友或晚辈面前用来指称自己。

가다 (动词) : 한 곳에서 다른 곳으로 장소를 이동하다.
去
从一个地方移动到另一个地方。

-ㄹ게 : (두루낮춤으로) 말하는 사람이 어떤 행동을 할 것을 듣는 사람에게 약속하거나 의지를 나타내는 종결 어미.
无对应词汇
(普卑)终结语尾，说话人向听话人约定做某个行动或表达做某个行动的意志。

어쩌+라고?

어쩌다 (动词) : 무엇을 어떻게 하다.
怎么办
怎么做某事。

-라고 : (두루낮춤으로) 들은 사실을 되물으면서 확인함을 나타내는 종결 어미.
无对应词汇
(普卑)终结语尾。表示再次询问并确认听到的事实。

< 10 >

궁금해

나는 궁금해.
(我想知道)

[발음(发音)]

< 1 절(节) >

파도처럼 내 맘속으로 밀려 오다 바람처럼 흔적 없이 사라져.
파도처럼 내 맘소그로 밀려 오다 바람처럼 흔적 업씨 사라저.
padocheoreom nae mamsogeuro millyeooda baramcheoreom heunjeok eopsi sarajeo.

파도는 멈출 수가 없는 거니?
파도는 멈출 쑤가 엄는 거니?
padoneun meomchul suga eomneun geoni?

바람은 머물 수가 없는 거니?
바라믄 머물 쑤가 엄는 거니?
barameun meomul suga eomneun geoni?

피어나는 내 맘이 시들지 않게 그치지 않는 세찬 비를 뿌려줘.
피어나는 내 마미 시들지 안케 그치지 안는 세찬 비를 뿌려줘.
pieonaneun nae mami sideulji anke geuchiji anneun sechan bireul ppuryeojwo.

어떤 사람인지 궁금해.
어떤 사라민지 궁금해.
eotteon saraminji gunggeumhae.

너의 그 향기가 궁금해.
너에 그 향기가 궁금해.
neoe geu hyanggiga gunggeumhae.

어떤 사랑일지 너의 그 느낌이.
어떤 사랑일찌 너에 그 느끼미.
eotteon sarangilji neoe geu neukkimi.

궁금해, 궁금해, 궁금해, 궁금해, 궁금해.
궁금해, 궁금해, 궁금해, 궁금해, 궁금해.
gunggeumhae, gunggeumhae, gunggeumhae, gunggeumhae, gunggeumhae.

< 2 절(节) >

감미로운 미소로 눈을 맞추면서 고개만 끄덕이다 말없이 사라져.
감미로운 미소로 누늘 맏추면서 고개만 끄더기다 마럽씨 사라저.
gammiroun misoro nuneul matchumyeonseo gogaeman kkeudeogida mareopsi sarajeo.

파도처럼 밀려드는 사랑이 보여.
파도처럼 밀려드는 사랑이 보여.
padocheoreom millyeodeuneun sarangi boyeo.

바람처럼 스치는 사랑이 느껴져.
바람처럼 스치는 사랑이 느껴저.
baramcheoreom seuchineun sarangi neukkyeojeo.

타오르는 열정이 꺼지지 않게 폭풍이 되어 내게 다가와 줘.
타오르는 열쩡이 꺼지지 안케 폭풍이 되어 내게 다가와 줘.
taoreuneun yeoljeongi kkeojiji anke pokpungi doeeo naege dagawa jwo.

어떤 사람인지 궁금해.
어떤 사라민지 궁금해.
eotteon saraminji gunggeumhae.

너의 그 향기가 궁금해.
너에 그 향기가 궁금해.
neoe geu hyanggiga gunggeumhae.

어떤 사랑일지 너의 그 느낌이.
어떤 사랑일찌 너에 그 느끼미.
eotteon sarangilji neoe geu neukkimi.

궁금해, 궁금해, 궁금해, 궁금해, 궁금해.
궁금해, 궁금해, 궁금해, 궁금해, 궁금해.
gunggeumhae, gunggeumhae, gunggeumhae, gunggeumhae, gunggeumhae.

< 3 절(节) >

바람을 붙잡을 수 없더라도.
바라믈 붇짜블 쑤 업떠라도.
barameul butjabeul su eopdeorado.

파도가 비에 젖지 않더라도.
파도가 비에 전찌 안터라도.
padoga bie jeotji anteorado.

내일은 가슴이 아프더라도.
내이른 가스미 아프더라도.
naeireun gaseumi apeudeorado.

미련과 후회만 남더라도.
미련과 후회만 남더라도.
miryeongwa huhoeman namdeorado.

어떤 사람인지 궁금해.
어떤 사라민지 궁금해.
eotteon saraminji gunggeumhae.

너의 그 향기가 궁금해.
너에 그 향기가 궁금해.
neoe geu hyanggiga gunggeumhae.

어떤 사랑일지 너의 그 느낌이.
어떤 사랑일찌 너에 그 느끼미.
eotteon sarangilji neoe geu neukkimi.

궁금해, 궁금해, 궁금해, 궁금해, 궁금해.
궁금해, 궁금해, 궁금해, 궁금해, 궁금해.
gunggeumhae, gunggeumhae, gunggeumhae, gunggeumhae, gunggeumhae.

< 1 절(节) >

파도+처럼 나+의 맘속+으로 밀리+[어 오]+다
내 밀려 오다

파도 (名词) : 바다에 이는 물결.
波涛，浪涛，波浪
海上掀起的水波。

처럼 : 모양이나 정도가 서로 비슷하거나 같음을 나타내는 조사.
无对应词汇
助词。表示样子或程度相似或相同。

나 (代词) : 말하는 사람이 친구나 아랫사람에게 자기를 가리키는 말.
我
说话人在朋友或晚辈面前用来指称自己。

의 : 앞의 말이 뒤의 말에 대하여 소유, 소속, 소재, 관계, 기원, 주체의 관계를 가짐을 나타내는 조사.
的
助词。表示所有、所属、所在、关系、来源、主体等关系。

맘속 (名词) : 마음의 깊은 곳.
内心，心底
内心深处。

으로 : 움직임의 방향을 나타내는 조사.
无对应词汇
助词。表示移动的方向。

밀리다 (动词) : 방향의 반대쪽에서 힘이 가해져서 움직여지다.
被推
物体在反方向被用力移动。

-어 오다 : 앞의 말이 나타내는 행동이나 상태가 어떤 기준점으로 가까워지면서 계속 진행됨을 나타내는 표현.
无对应词汇
表示前面所指的行动或状态持续进行，不断靠近某个基准点。

-다 : 어떤 행동이나 상태 등이 중단되고 다른 행동이나 상태로 바뀜을 나타내는 연결 어미.
无对应词汇
连接语尾。表示某个动作或状态等中断后转为另一动作或状态。

바람+처럼 흔적 없이 사라지+어.
사라져

바람 (名词) : 기압의 변화 또는 사람이나 기계에 의해 일어나는 공기의 움직임.
风
气压的变化或者人类、机器等引起的空气的流动。

처럼 : 모양이나 정도가 서로 비슷하거나 같음을 나타내는 조사.
无对应词汇
助词。表示样子或程度相似或相同。

흔적 (名词) : 사물이나 현상이 없어지거나 지나간 뒤에 남겨진 것.
痕迹，行迹
事物或现象消失或过去后留下的东西。

없이 (副词) : 사람, 사물, 현상 등이 어떤 곳에 자리나 공간을 차지하고 존재하지 않게.
没有
人、物、现象等不占据某地或空间而不存在地。

사라지다 (动词) : 어떤 현상이나 물체의 자취 등이 없어지다.
消失
某种现象或物体的踪迹等不再存在。

-어 : (두루낮춤으로) 어떤 사실을 서술하거나 물음, 명령, 권유를 나타내는 종결 어미.
无对应词汇
(普卑)终结语尾。表示陈述某种事实、询问、命令或劝说。<叙述>

파도+는 멈추+[ㄹ 수가 없]+[는 거]+(이)+니?
멈출 수가 없는 거니

파도 (名词) : 바다에 이는 물결.
波涛，浪涛，波浪
海上掀起的水波。

는 : 문장 속에서 어떤 대상이 화제임을 나타내는 조사.
无对应词汇
助词。表示文中某个对象成为话题。

멈추다 (动词) : 동작이나 상태가 계속되지 않다.
停，止
动作或状态不再持续。

-ㄹ 수가 없다 : 앞에 오는 말이 나타내는 일이 가능하지 않음을 나타내는 표현.
无对应词汇
表示前面表达的事情不可能发生。

-는 거 : 명사가 아닌 것을 문장에서 명사처럼 쓰이게 하거나 '이다' 앞에 쓰일 수 있게 할 때 쓰는 표현.
无对应词汇
用于使非名词在句中用作名词或使其可出现在"이다"前面。

이다 : 주어가 지시하는 대상의 속성이나 부류를 지정하는 뜻을 나타내는 서술격 조사.
无对应词汇
谓格助词。表示指定主语所指示的属性或类型。

-니 : (아주낮춤으로) 물음을 나타내는 종결 어미.
无对应词汇
(高卑)终结语尾。表示询问。

바람+은 머물+[(ㄹ) 수가 없]+[는 거]+(이)+니?

머물 수가 없는 거니

바람 (名词) : 기압의 변화 또는 사람이나 기계에 의해 일어나는 공기의 움직임.
风
气压的变化或者人类、机器等引起的空气的流动。

은 : 문장 속에서 어떤 대상이 화제임을 나타내는 조사.
无对应词汇
助词。表示某个对象是句中的话题。

머물다 (动词) : 도중에 멈추거나 일시적으로 어떤 곳에 묵다.
滞留，逗留，留
中途停下或暂时住在某处。

-ㄹ 수가 없다 : 앞에 오는 말이 나타내는 일이 가능하지 않음을 나타내는 표현.
无对应词汇
表示前面表达的事情不可能发生。

-는 거 : 명사가 아닌 것을 문장에서 명사처럼 쓰이게 하거나 '이다' 앞에 쓰일 수 있게 할 때 쓰는 표현.
无对应词汇
用于使非名词在句中用作名词或使其可出现在"이다"前面。

이다 : 주어가 지시하는 대상의 속성이나 부류를 지정하는 뜻을 나타내는 서술격 조사.
无对应词汇
谓格助词。表示指定主语所指示的属性或类型。

-니 : (아주낮춤으로) 물음을 나타내는 종결 어미.
无对应词汇
(高卑)终结语尾。表示询问。

피어나+는 나+의 맘+이 시들+[지 않]+게 내

피어나다 (动词) : 어떤 느낌이나 생각 등이 일어나다.
产生
出现某种感情、想法等。

-는 : 앞의 말이 관형어의 기능을 하게 만들고 사건이나 동작이 현재 일어남을 나타내는 어미.
无对应词汇
语尾。使前面的词具有定语功能，表示事件或动作现在正在发生。

나 (代词) : 말하는 사람이 친구나 아랫사람에게 자기를 가리키는 말.
我
说话人在朋友或晚辈面前用来指称自己。

의 : 앞의 말이 뒤의 말에 대하여 소유, 소속, 소재, 관계, 기원, 주체의 관계를 가짐을 나타내는 조사.
的
助词。表示所有、所属、所在、关系、来源、主体等关系。

맘 (名词) : 좋아하는 마음이나 관심.
心，心思
喜欢别人的心意或对此人的关心。

이 : 어떤 상태나 상황의 대상이나 동작의 주체를 나타내는 조사.
无对应词汇
助词。表示行为的主体或状态描述的对象。

시들다 (动词) : 어떤 일에 대한 관심이나 기세가 이전보다 줄어들다.
减退
对某事的关注或气势比以前减少。

-지 않다 : 앞의 말이 나타내는 행위나 상태를 부정하는 뜻을 나타내는 표현.
无对应词汇
表示否定前面所指的行为或状态。

-게 : 앞의 말이 뒤에서 가리키는 일의 목적이나 결과, 방식, 정도 등이 됨을 나타내는 연결 어미.
无对应词汇
连接语尾。表示前面的内容为后面所指事情的目的、结果、方式或程度等。

그치+[지 않]+는 세차+ㄴ 비+를 뿌리+[어 주]+어.
세찬 뿌려 줘

그치다 (动词) : 계속되던 일, 움직임, 현상 등이 계속되지 않고 멈추다.
停止，结束
一直持续的事情、动作、现象等不再继续，停下来。

-지 않다 : 앞의 말이 나타내는 행위나 상태를 부정하는 뜻을 나타내는 표현.
无对应词汇
表示否定前面所指的行为或状态。

-는 : 앞의 말이 관형어의 기능을 하게 만들고 사건이나 동작이 현재 일어남을 나타내는 어미.
无对应词汇
语尾。使前面的词具有定语功能，表示事件或动作现在正在发生。

세차다 (形容词) : 기운이나 일이 되어가는 형편 등이 힘 있고 거세다.
强劲，猛烈
气势或事情发展的状况等有力而强烈。

-ㄴ : 앞의 말이 관형어의 기능을 하게 만들고 현재의 상태를 나타내는 어미.
无对应词汇
语尾。使前面的词具有定语功能，表示现在的状态。

비 (名词) : 높은 곳에서 구름을 이루고 있던 수증기가 식어서 뭉쳐 떨어지는 물방울.
雨
高空中形成云朵的水蒸气冷却凝聚后降落而下的水滴。

를 : 동작이 직접적으로 영향을 미치는 대상을 나타내는 조사.
无对应词汇
助词。表示动作直接涉及的对象。

뿌리다 (动词) : 눈이나 비 등이 날려 떨어지다. 또는 떨어지게 하다.
下，飘，落
雪或雨等飞扬落下；或使其落下。

-어 주다 : 남을 위해 앞의 말이 나타내는 행동을 함을 나타내는 표현.
给
表示为别人做前面表达的行动。

-어 : (두루낮춤으로) 어떤 사실을 서술하거나 물음, 명령, 권유를 나타내는 종결 어미.
无对应词汇
(普卑)终结语尾。表示陈述某种事实、询问、命令或劝说。<命令>

어떤 사람+이+ㄴ지 궁금하+여.
사람인지 궁금해

어떤 (冠形词) : 사람이나 사물의 특징, 내용, 성격, 성질, 모양 등이 무엇인지 물을 때 쓰는 말.
什么样的，怎么样的
用于询问人或事物的特征、内容、性格、性质、模样等。

사람 (名词) : 생각할 수 있으며 언어와 도구를 만들어 사용하고 사회를 이루어 사는 존재.
人
可以思考，会制造并使用语言和工具、构成社会而生活的存在。

이다 : 주어가 지시하는 대상의 속성이나 부류를 지정하는 뜻을 나타내는 서술격 조사.
无对应词汇
谓格助词。表示指定主语所指示的属性或类型。

-ㄴ지 : 뒤에 오는 말의 내용에 대한 막연한 이유나 판단을 나타내는 연결 어미.
无对应词汇
连接语尾。表示后句的原因或判断，带有不肯定的语气。

궁금하다 (形容词) : 무엇이 무척 알고 싶다.
好奇，纳闷儿
非常想知道。

-여 : (두루낮춤으로) 어떤 사실을 서술하거나 물음, 명령, 권유를 나타내는 종결 어미.
无对应词汇
(普卑)终结语尾。表示陈述某种事实、询问、命令或劝说。

너+의 그 향기+가 궁금하+여.
궁금해

너 (代词) : 듣는 사람이 친구나 아랫사람일 때, 그 사람을 가리키는 말.
你
指代听者，用于朋友或晚辈。

의 : 앞의 말이 뒤의 말에 대하여 소유, 소속, 소재, 관계, 기원, 주체의 관계를 가짐을 나타내는 조사.
的
助词。表示所有、所属、所在、关系、来源、主体等关系。

그 (冠形词) : 듣는 사람에게 가까이 있거나 듣는 사람이 생각하고 있는 대상을 가리킬 때 쓰는 말.
那个
指代与听话人较近或听话人所想的对象。

향기 (名词) : 좋은 냄새.
香气，香味
好闻的味道。

가 : 어떤 상태나 상황에 놓인 대상이나 동작의 주체를 나타내는 조사.
无对应词汇
助词。表示行为的主体或状态描述的对象。

궁금하다 (形容词) : 무엇이 무척 알고 싶다.
好奇，纳闷儿
非常想知道。

-여 : (두루낮춤으로) 어떤 사실을 서술하거나 물음, 명령, 권유를 나타내는 종결 어미.
无对应词汇
(普卑)终结语尾。表示陈述某种事实、询问、命令或劝说。

어떤 사랑+이+ㄹ지 너+의 그 느낌+이.
사랑일지

어떤 (冠形词) : 사람이나 사물의 특징, 내용, 성격, 성질, 모양 등이 무엇인지 물을 때 쓰는 말.
什么样的，怎么样的
用于询问人或事物的特征、内容、性格、性质、模样等。

사랑 (名词) : 상대에게 성적으로 매력을 느껴 열렬히 좋아하는 마음.
爱，爱情，恋情
从对方身上感到性魅力而热烈喜欢的心。

이다 : 주어가 지시하는 대상의 속성이나 부류를 지정하는 뜻을 나타내는 서술격 조사.
无对应词汇
谓格助词。表示指定主语所指示的属性或类型。

-ㄹ지 : 어떠한 추측에 대한 막연한 의문을 갖고 그것을 뒤에 오는 말이 나타내는 사실이나 판단과 관련시킬 때 쓰는 연결 어미.
无对应词汇
连接语尾。表示对某个推测带有模糊的疑问，并将其和后面表达的事实或判断联系起来。

너 (代词) : 듣는 사람이 친구나 아랫사람일 때, 그 사람을 가리키는 말.
你
指代听者，用于朋友或晚辈。

의 : 앞의 말이 뒤의 말에 대하여 소유, 소속, 소재, 관계, 기원, 주체의 관계를 가짐을 나타내는 조사.
的
助词。表示所有、所属、所在、关系、来源、主体等关系。

그 (冠形词) : 듣는 사람에게 가까이 있거나 듣는 사람이 생각하고 있는 대상을 가리킬 때 쓰는 말.
那个
指代与听话人较近或听话人所想的对象。

느낌 (名词) : 몸이나 마음에서 일어나는 기분이나 감정.
感觉，感受
身体或内心产生的情绪或情感。

이 : 어떤 상태나 상황의 대상이나 동작의 주체를 나타내는 조사.
无对应词汇
助词。表示行为的主体或状态描述的对象。

궁금하+여, 궁금하+여, 궁금하+여, 궁금하+여, 궁금하+여.
궁금해 궁금해 궁금해 궁금해 궁금해

궁금하다 (形容词) : 무엇이 무척 알고 싶다.
好奇，纳闷儿
非常想知道。

-여 : (두루낮춤으로) 어떤 사실을 서술하거나 물음, 명령, 권유를 나타내는 종결 어미.
无对应词汇
(普卑)终结语尾。表示陈述某种事实、询问、命令或劝说。

< 2 절(节) >

감미롭(감미로우)+ㄴ 미소+로 [눈을 맞추]+면서
감미로운

감미롭다 (形容词) : 달콤한 느낌이 있다.
甜蜜，甜美
有甜甜的感觉。

-ㄴ : 앞의 말이 관형어의 기능을 하게 만들고 현재의 상태를 나타내는 어미.
无对应词汇
语尾。使前面的词具有定语功能，表示现在的状态。

미소 (名词) : 소리 없이 빙긋이 웃는 웃음.
微笑
无声地嫣然一笑。

로 : 어떤 일의 방법이나 방식을 나타내는 조사.
无对应词汇
助词。表示某事的方法或方式。

눈을 맞추다 (惯用句) : 서로 눈을 마주 보다.
对视；相视
互相看着对方的眼睛。

-면서 : 두 가지 이상의 동작이나 상태가 함께 일어남을 나타내는 연결 어미.
无对应词汇
连接语尾。表示同时发生两个以上的动作或状态。

고개+만 끄덕이+다 말없이 사라지+어.
사라져

고개 (名词) : 목을 포함한 머리 부분.
头，脑袋
包括脖子在内的头部。

만 : 다른 것은 제외하고 어느 것을 한정함을 나타내는 조사.
无对应词汇
助词。表示排出其他，限定某一个。

끄덕이다 (动词) : 머리를 가볍게 아래위로 움직이다.
点头
把头上下微微晃动。

-다 : 어떤 행동이나 상태 등이 중단되고 다른 행동이나 상태로 바뀜을 나타내는 연결 어미.
无对应词汇
连接语尾。表示某个动作或状态等中断后转为另一动作或状态。

말없이 (副词) : 아무 말도 하지 않고.
一声不吭地
一句话也不说。

사라지다 (动词) : 어떤 현상이나 물체의 자취 등이 없어지다.
消失
某种现象或物体的踪迹等不再存在。

-어 : (두루낮춤으로) 어떤 사실을 서술하거나 물음, 명령, 권유를 나타내는 종결 어미.
无对应词汇
(普卑)终结语尾。表示陈述某种事实、询问、命令或劝说。<叙述>

파도+처럼 밀려들(밀려드)+는 사랑+이 보이+어.
밀려드는 보여

파도 (名词) : 바다에 이는 물결.
波涛，浪涛，波浪
海上掀起的水波。

처럼 : 모양이나 정도가 서로 비슷하거나 같음을 나타내는 조사.
无对应词汇
助词。表示样子或程度相似或相同。

밀려들다 (动词) : 한꺼번에 많이 몰려 들어오다.
涌来，涌进，蜂拥而至
一拥而来。

-는 : 앞의 말이 관형어의 기능을 하게 만들고 사건이나 동작이 현재 일어남을 나타내는 어미.
无对应词汇
语尾。使前面的词具有定语功能，表示事件或动作现在正在发生。

사랑 (名词) : 상대에게 성적으로 매력을 느껴 열렬히 좋아하는 마음.
爱，爱情，恋情
从对方身上感到性魅力而热烈喜欢的心。

이 : 어떤 상태나 상황의 대상이나 동작의 주체를 나타내는 조사.
无对应词汇
助词。表示行为的主体或状态描述的对象。

보이다 (动词) : 눈으로 대상의 존재나 겉모습을 알게 되다.
让看见
用眼睛看而得知对象的存在或样子。

-어 : (두루낮춤으로) 어떤 사실을 서술하거나 물음, 명령, 권유를 나타내는 종결 어미.
无对应词汇
(普卑)终结语尾。表示陈述某种事实、询问、命令或劝说。<叙述>

바람+처럼 스치+는 사랑+이 <u>느끼+어지+어</u>.
느껴져

바람 (名词) : 기압의 변화 또는 사람이나 기계에 의해 일어나는 공기의 움직임.
风
气压的变化或者人类、机器等引起的空气的流动。

처럼 : 모양이나 정도가 서로 비슷하거나 같음을 나타내는 조사.
无对应词汇
助词。表示样子或程度相似或相同。

스치다 (动词) : 냄새, 바람, 소리 등이 약하게 잠시 느껴지다.
掠过
较轻地感觉到气味、风、声音等。

-는 : 앞의 말이 관형어의 기능을 하게 만들고 사건이나 동작이 현재 일어남을 나타내는 어미.
无对应词汇
语尾。使前面的词具有定语功能，表示事件或动作现在正在发生。

사랑 (名词) : 상대에게 성적으로 매력을 느껴 열렬히 좋아하는 마음.
爱，爱情，恋情
从对方身上感到性魅力而热烈喜欢的心。

이 : 어떤 상태나 상황의 대상이나 동작의 주체를 나타내는 조사.
无对应词汇
助词。表示行为的主体或状态描述的对象。

느끼다 (动词) : 마음속에서 어떤 감정을 경험하다.
感受，觉得，感到
内心经历某种情感。

-어지다 : 앞에 오는 말이 나타내는 상태로 점점 되어 감을 나타내는 표현.
无对应词汇
表示逐渐变成前面所指的状态。

-어 : (두루낮춤으로) 어떤 사실을 서술하거나 물음, 명령, 권유를 나타내는 종결 어미.
无对应词汇
(普卑)终结语尾。表示陈述某种事实、询问、命令或劝说。<叙述>

타오르+는 열정+이 꺼지+[지 않]+게

타오르다 (动词) : 마음이 불같이 뜨거워지다.
燃烧
感情等如火一样热烈。

-는 : 앞의 말이 관형어의 기능을 하게 만들고 사건이나 동작이 현재 일어남을 나타내는 어미.
无对应词汇
语尾。使前面的词具有定语功能，表示事件或动作现在正在发生。

열정 (名词) : 어떤 일에 뜨거운 애정을 가지고 열심히 하는 마음.
热情，干劲，炽热
有热情，努力干某事的内心。

이 : 어떤 상태나 상황의 대상이나 동작의 주체를 나타내는 조사.
无对应词汇
助词。表示行为的主体或状态描述的对象。

꺼지다 (动词) : 어떤 감정이 풀어지거나 사라지다.
失去，消散
某种情感得到化解或消失。

-지 않다 : 앞의 말이 나타내는 행위나 상태를 부정하는 뜻을 나타내는 표현.
无对应词汇
表示否定前面所指的行为或状态。

-게 : 앞의 말이 뒤에서 가리키는 일의 목적이나 결과, 방식, 정도 등이 됨을 나타내는 연결 어미.
无对应词汇
连接语尾。表示前面的内容为后面所指事情的目的、结果、方式或程度等。

폭풍+이 되+어 나+에게 다가오+[아 주]+어.
내게 다가와 줘

폭풍 (名词) : 매우 세차게 부는 바람.
暴风，飓风，狂风
刮得非常猛烈的风。

이 : 바뀌게 되는 대상이나 부정하는 대상임을 나타내는 조사.
无对应词汇
助词。表示变化或否定的对象。

되다 (动词) : 다른 것으로 바뀌거나 변하다.
成为，变为
换成或变成别的。

-어 : 앞의 말이 뒤의 말보다 먼저 일어났거나 뒤의 말에 대한 방법이나 수단이 됨을 나타내는 연결 어미.
无对应词汇
连接语尾。表示前句先于后句发生，或表示前句是后句的方法或手段。

나 (代词) : 말하는 사람이 친구나 아랫사람에게 자기를 가리키는 말.
我
说话人在朋友或晚辈面前用来指称自己。

에게 : 어떤 행동이 미치는 대상임을 나타내는 조사.
无对应词汇
助词。表示某个动作所涉及的对象。

다가오다 (动词) : 어떤 대상이 있는 쪽으로 가까이 옮기어 오다.
走近
移步到某个对象的近处。

-아 주다 : 남을 위해 앞의 말이 나타내는 행동을 함을 나타내는 표현.
给
表示为别人做前面表达的行为。

-어 : (두루낮춤으로) 어떤 사실을 서술하거나 물음, 명령, 권유를 나타내는 종결 어미.
无对应词汇
(普卑)终结语尾。表示陈述某种事实、询问、命令或劝说。<命令>

어떤 사람+이+ㄴ지 궁금하+여.
사람인지 궁금해

어떤 (冠形词) : 사람이나 사물의 특징, 내용, 성격, 성질, 모양 등이 무엇인지 물을 때 쓰는 말.
什么样的，怎么样的
用于询问人或事物的特征、内容、性格、性质、模样等。

사람 (名词) : 생각할 수 있으며 언어와 도구를 만들어 사용하고 사회를 이루어 사는 존재.
人
可以思考，会制造并使用语言和工具、构成社会而生活的存在。

이다 : 주어가 지시하는 대상의 속성이나 부류를 지정하는 뜻을 나타내는 서술격 조사.
无对应词汇
谓格助词。表示指定主语所指示的属性或类型。

-ㄴ지 : 뒤에 오는 말의 내용에 대한 막연한 이유나 판단을 나타내는 연결 어미.
无对应词汇
连接语尾。表示后句的原因或判断，带有不肯定的语气。

궁금하다 (形容词) : 무엇이 무척 알고 싶다.
好奇，纳闷儿
非常想知道。

-여 : (두루낮춤으로) 어떤 사실을 서술하거나 물음, 명령, 권유를 나타내는 종결 어미.
无对应词汇
(普卑)终结语尾。表示陈述某种事实、询问、命令或劝说。

너+의 그 향기+가 궁금하+여.
궁금해

너 (代词) : 듣는 사람이 친구나 아랫사람일 때, 그 사람을 가리키는 말.
你
指代听者，用于朋友或晚辈。

의 : 앞의 말이 뒤의 말에 대하여 소유, 소속, 소재, 관계, 기원, 주체의 관계를 가짐을 나타내는 조사.
的
助词。表示所有、所属、所在、关系、来源、主体等关系。

그 (冠形词) : 듣는 사람에게 가까이 있거나 듣는 사람이 생각하고 있는 대상을 가리킬 때 쓰는 말.
那个
指代与听话人较近或听话人所想的对象。

향기 (名词) : 좋은 냄새.
香气，香味
好闻的味道。

가 : 어떤 상태나 상황에 놓인 대상이나 동작의 주체를 나타내는 조사.
无对应词汇
助词。表示行为的主体或状态描述的对象。

궁금하다 (形容词) : 무엇이 무척 알고 싶다.
好奇，纳闷儿
非常想知道。

-여 : (두루낮춤으로) 어떤 사실을 서술하거나 물음, 명령, 권유를 나타내는 종결 어미.
无对应词汇
(普卑)终结语尾。表示陈述某种事实、询问、命令或劝说。

어떤 사랑+이+ㄹ지 너+의 그 느낌+이.
사랑일지

어떤 (冠形词) : 사람이나 사물의 특징, 내용, 성격, 성질, 모양 등이 무엇인지 물을 때 쓰는 말.
什么样的，怎么样的
用于询问人或事物的特征、内容、性格、性质、模样等。

사랑 (名词) : 상대에게 성적으로 매력을 느껴 열렬히 좋아하는 마음.
爱，爱情，恋情
从对方身上感到性魅力而热烈喜欢的心。

이다 : 주어가 지시하는 대상의 속성이나 부류를 지정하는 뜻을 나타내는 서술격 조사.
无对应词汇
谓格助词。表示指定主语所指示的属性或类型。

-ㄹ지 : 어떠한 추측에 대한 막연한 의문을 갖고 그것을 뒤에 오는 말이 나타내는 사실이나 판단과 관련 시킬 때 쓰는 연결 어미.
无对应词汇
连接语尾。表示对某个推测带有模糊的疑问，并将其和后面表达的事实或判断联系起来。

너 (代词) : 듣는 사람이 친구나 아랫사람일 때, 그 사람을 가리키는 말.
你
指代听者，用于朋友或晚辈。

의 : 앞의 말이 뒤의 말에 대하여 소유, 소속, 소재, 관계, 기원, 주체의 관계를 가짐을 나타내는 조사.
的
助词。表示所有、所属、所在、关系、来源、主体等关系。

그 (冠形词) : 듣는 사람에게 가까이 있거나 듣는 사람이 생각하고 있는 대상을 가리킬 때 쓰는 말.
那个
指代与听话人较近或听话人所想的对象。

느낌 (名词) : 몸이나 마음에서 일어나는 기분이나 감정.
感觉，感受
身体或内心产生的情绪或情感。

이 : 어떤 상태나 상황의 대상이나 동작의 주체를 나타내는 조사.
无对应词汇
助词。表示行为的主体或状态描述的对象。

궁금하+여, 궁금하+여, 궁금하+여, 궁금하+여, 궁금하+여.
궁금해 궁금해 궁금해 궁금해 궁금해

궁금하다 (形容词) : 무엇이 무척 알고 싶다.
好奇，纳闷儿
非常想知道。

-여 : (두루낮춤으로) 어떤 사실을 서술하거나 물음, 명령, 권유를 나타내는 종결 어미.
无对应词汇
(普卑)终结语尾。表示陈述某种事实、询问、命令或劝说。

< 3 절(节) >

바람+을 붙잡+[을 수 없]+더라도.

바람 (名词) : 기압의 변화 또는 사람이나 기계에 의해 일어나는 공기의 움직임.
风
气压的变化或者人类、机器等引起的空气的流动。

을 : 동작이 직접적으로 영향을 미치는 대상을 나타내는 조사.
无对应词汇
助词。表示动作直接涉及的对象。

붙잡다 (动词) : 무엇을 놓치지 않도록 단단히 잡다.
抓住
紧紧攥住而使其无法摆脱。

-을 수 없다 : 앞에 오는 말이 나타내는 일이 가능하지 않음을 나타내는 표현.
无对应词汇
表示前面所指的事情不可能。

-더라도 : 앞에 오는 말을 가정하거나 인정하지만 뒤에 오는 말에는 관계가 없거나 영향을 끼치지 않음을 나타내는 연결 어미.
无对应词汇
连接语尾。表示虽然假设或承认前句某种状况，但和后句内容没有关系或不会对此起到影响。

파도+가 비+에 젖+[지 않]+더라도.

파도 (名词) : 바다에 이는 물결.
波涛，浪涛，波浪
海上掀起的水波。

가 : 어떤 상태나 상황에 놓인 대상이나 동작의 주체를 나타내는 조사.
无对应词汇
助词。表示行为的主体或状态描述的对象。

비 (名词) : 높은 곳에서 구름을 이루고 있던 수증기가 식어서 뭉쳐 떨어지는 물방울.
雨
高空中形成云朵的水蒸气冷却凝聚后降落而下的水滴。

에 : 앞말이 어떤 일의 원인임을 나타내는 조사.
无对应词汇
助词。表示某事的原因。

젖다 (动词) : 액체가 스며들어 축축해지다.
沾湿，浸湿，润湿
液体渗入，变得潮湿。

-지 않다 : 앞의 말이 나타내는 행위나 상태를 부정하는 뜻을 나타내는 표현.
无对应词汇
表示否定前面所指的行为或状态。

-더라도 : 앞에 오는 말을 가정하거나 인정하지만 뒤에 오는 말에는 관계가 없거나 영향을 끼치지 않음을 나타내는 연결 어미.
无对应词汇
连接语尾。表示虽然假设或承认前句某种状况，但和后句内容没有关系或不会对此起到影响。

내일+은 가슴+이 아프+더라도.

내일 (名词) : 오늘의 다음 날.
明天，明日
今天的下一天。

은 : 문장 속에서 어떤 대상이 화제임을 나타내는 조사.
无对应词汇
助词。表示某个对象是句中的话题。

가슴 (名词) : 마음이나 느낌.
心，心情，内心
心理或感受。

이 : 어떤 상태나 상황의 대상이나 동작의 주체를 나타내는 조사.
无对应词汇
助词。表示行为的主体或状态描述的对象。

아프다 (形容词) : 슬픔이나 연민으로 마음에 괴로운 느낌이 있다.
难受，难过
因悲伤或怜悯而感到痛苦。

-더라도 : 앞에 오는 말을 가정하거나 인정하지만 뒤에 오는 말에는 관계가 없거나 영향을 끼치지 않음을 나타내는 연결 어미.
无对应词汇
连接语尾。表示虽然假设或承认前句某种状况，但和后句内容没有关系或不会对此起到影响。

미련+과 후회+만 남+더라도.

미련 (名词) : 잊어버리거나 그만두어야 할 것을 깨끗이 잊거나 포기하지 못하고 여전히 끌리는 마음.
留恋，迷恋，眷恋
本应忘记或放弃的人或物等，却舍不得遗忘或舍弃，依然被吸引的内心。

과 : 앞과 뒤의 명사를 같은 자격으로 이어 줄 때 쓰는 조사.
和，跟
助词。用于并列前后名词。

후회 (名词) : 이전에 자신이 한 일이 잘못임을 깨닫고 스스로 자신의 잘못을 꾸짖음.
后悔
认识到自己以前做的错事，并对犯下的错误进行自我批评。

만 : 다른 것은 제외하고 어느 것을 한정함을 나타내는 조사.
无对应词汇
助词。表示排出其他，限定某一个。

남다 (动词) : 잊히지 않다.
留，遗留
忘不掉。

-더라도 : 앞에 오는 말을 가정하거나 인정하지만 뒤에 오는 말에는 관계가 없거나 영향을 끼치지 않음을 나타내는 연결 어미.
无对应词汇
连接语尾。表示虽然假设或承认前句某种状况，但和后句内容没有关系或不会对此起到影响。

어떤 사람+이+ㄴ지 궁금하+여.
사람인지 궁금해

어떤 (冠形词) : 사람이나 사물의 특징, 내용, 성격, 성질, 모양 등이 무엇인지 물을 때 쓰는 말.
什么样的，怎么样的
用于询问人或事物的特征、内容、性格、性质、模样等。

사람 (名词) : 생각할 수 있으며 언어와 도구를 만들어 사용하고 사회를 이루어 사는 존재.
人
可以思考，会制造并使用语言和工具、构成社会而生活的存在。

이다 : 주어가 지시하는 대상의 속성이나 부류를 지정하는 뜻을 나타내는 서술격 조사.
无对应词汇
谓格助词。表示指定主语所指示的属性或类型。

-ㄴ지 : 뒤에 오는 말의 내용에 대한 막연한 이유나 판단을 나타내는 연결 어미.
无对应词汇
连接语尾。表示后句的原因或判断，带有不肯定的语气。

궁금하다 (形容词) : 무엇이 무척 알고 싶다.
好奇，纳闷儿
非常想知道。

-여 : (두루낮춤으로) 어떤 사실을 서술하거나 물음, 명령, 권유를 나타내는 종결 어미.
无对应词汇
(普卑)终结语尾。表示陈述某种事实、询问、命令或劝说。

너+의 그 향기+가 궁금하+여.
궁금해

너 (代词) : 듣는 사람이 친구나 아랫사람일 때, 그 사람을 가리키는 말.
你
指代听者，用于朋友或晚辈。

의 : 앞의 말이 뒤의 말에 대하여 소유, 소속, 소재, 관계, 기원, 주체의 관계를 가짐을 나타내는 조사.
的
助词。表示所有、所属、所在、关系、来源、主体等关系。

그 (冠形词) : 듣는 사람에게 가까이 있거나 듣는 사람이 생각하고 있는 대상을 가리킬 때 쓰는 말.
那个
指代与听话人较近或听话人所想的对象。

향기 (名词) : 좋은 냄새.
香气，香味
好闻的味道。

가 : 어떤 상태나 상황에 놓인 대상이나 동작의 주체를 나타내는 조사.
无对应词汇
助词。表示行为的主体或状态描述的对象。

궁금하다 (形容词) : 무엇이 무척 알고 싶다.
好奇，纳闷儿
非常想知道。

-여 : (두루낮춤으로) 어떤 사실을 서술하거나 물음, 명령, 권유를 나타내는 종결 어미.
无对应词汇
(普卑)终结语尾。表示陈述某种事实、询问、命令或劝说。

어떤 사랑+이+ㄹ지 너+의 그 느낌+이.
사랑일지

어떤 (冠形词) : 사람이나 사물의 특징, 내용, 성격, 성질, 모양 등이 무엇인지 물을 때 쓰는 말.
什么样的，怎么样的
用于询问人或事物的特征、内容、性格、性质、模样等。

사랑 (名词) : 상대에게 성적으로 매력을 느껴 열렬히 좋아하는 마음.
爱，爱情，恋情
从对方身上感到性魅力而热烈喜欢的心。

이다 : 주어가 지시하는 대상의 속성이나 부류를 지정하는 뜻을 나타내는 서술격 조사.
无对应词汇
谓格助词。表示指定主语所指示的属性或类型。

-ㄹ지 : 어떠한 추측에 대한 막연한 의문을 갖고 그것을 뒤에 오는 말이 나타내는 사실이나 판단과 관련시킬 때 쓰는 연결 어미.
无对应词汇
连接语尾。表示对某个推测带有模糊的疑问，并将其和后面表达的事实或判断联系起来。

너 (代词) : 듣는 사람이 친구나 아랫사람일 때, 그 사람을 가리키는 말.
你
指代听者，用于朋友或晚辈。

의 : 앞의 말이 뒤의 말에 대하여 소유, 소속, 소재, 관계, 기원, 주체의 관계를 가짐을 나타내는 조사.
的
助词。表示所有、所属、所在、关系、来源、主体等关系。

그 (冠形词) : 듣는 사람에게 가까이 있거나 듣는 사람이 생각하고 있는 대상을 가리킬 때 쓰는 말.
那个
指代与听话人较近或听话人所想的对象。

느낌 (名词) : 몸이나 마음에서 일어나는 기분이나 감정.
感觉，感受
身体或内心产生的情绪或情感。

이 : 어떤 상태나 상황의 대상이나 동작의 주체를 나타내는 조사.
无对应词汇
助词。表示行为的主体或状态描述的对象。

궁금하+여, 궁금하+여, 궁금하+여, 궁금하+여, 궁금하+여.
궁금해 궁금해 궁금해 궁금해 궁금해

궁금하다 (形容词) : 무엇이 무척 알고 싶다.
好奇，纳闷儿
非常想知道。

-여 : (두루낮춤으로) 어떤 사실을 서술하거나 물음, 명령, 권유를 나타내는 종결 어미.
无对应词汇
(普卑)终结语尾。表示陈述某种事实、询问、命令或劝说。

< 참고(参考) 문헌(文献) >

고려대학교 한국어대사전, 고려대학교 민족문화연구원, 2009
우리말샘, 국립국어원, 2016
표준국어대사전, 국립국어원, 1999
한국어교육 문법 자료편, 한글파크, 2016
한국어 교육학 사전, 하우, 2014
한국어기초사전, 국립국어원, 2016
한국어 문법 총론 Ⅰ, 집문당, 2015

노래로 배우는 한국어 1 中国语(翻译)

발　행 | 2024년 6월 13일
저　자 | 주식회사 한글2119연구소
펴낸이 | 한건희
펴낸곳 | 주식회사 부크크
출판사등록 | 2014.07.15.(제2014-16호)
주　소 | 서울특별시 금천구 가산디지털1로 119 SK트윈타워 A동 305호
전　화 | 1670-8316
이메일 | info@bookk.co.kr

ISBN | 979-11-410-8947-4

www.bookk.co.kr